CERNÉ

tim bowler

Traduction de Michel Saint-Germain

Les éditions de la courte échelle inc.
160, rue Saint-Viateur Est, bureau 404
Montréal (Québec) H2T 1A8
www.courteechelle.com

Traduction : Michel Saint-Germain
Suivi de traduction : Caroline Schindler
Révision : Hélène Ricard

Dépôt légal, 4e trimestre 2011
Bibliothèque nationale du Québec

Titre original : BLADE : Closing In

BLADE : *Cerné* a été initialement publié en anglais en 2008.
Cette édition est publiée en accord avec Oxford University Press.

La courte échelle reconnaît l'aide financière du gouvernement du Canada par l'entremise du Fonds du livre du Canada pour ses activités d'édition.
La courte échelle est aussi inscrite au programme de subvention globale du Conseil des Arts du Canada et reçoit l'appui du gouvernement du Québec par l'intermédiaire de la SODEC.

La courte échelle bénéficie également du Programme de crédit d'impôt pour l'édition de livres — Gestion SODEC — du gouvernement du Québec.

Catalogage avant publication de Bibliothèque et Archives nationales du Québec et Bibliothèque et Archives Canada

Bowler, Tim
Cerné
(Blade)
Traduction de : Closing in.
Pour les jeunes de 14 ans et plus.
ISBN 978-2-89695-027-0
I. Saint-Germain, Michel. II. Titre.

PZ23.B68Ce 2011 j823'.92 C2011-941587-9

Imprimé au Canada

Pour Rachel,

avec mon amour.

CERNÉ

Ciel de sang. Rues sombres, maisons sombres. La nuit tombe, goutte à goutte. Mais la ville veille. Elle somnole, mais elle ne dort jamais — et elle en voit trop.

Comme toi.

Te fais pas d'idées, Gros-Yeux, je le sais. T'es comme un insomniaque détraqué, bien trop curieux. Tu te mêles de ce que je fais, que ça me plaise ou non. Bon, ça ne me plaît pas, pas maintenant. Avant, j'avais besoin de compagnie.

Maintenant, j'en ai — pas mal —, et ça me suffit. Mais c'est inévitable, j'imagine : t'es là à me regarder, bouche bée.

Mais qui d'autre regarde ?

C'est ça, la question.

C'est pas ce qui manque, des gens qui nous cherchent. La police, la bande des filles, tous les autres. J'aime mieux pas y penser. Mais le passé est revenu avec ses griffes. La vie est redevenue dangereuse, et je ne peux plus penser comme avant.

Becky ne marche pas comme d'habitude, elle traîne les pieds. Je n'arrive pas à savoir si elle est fatiguée ou blessée. Je sais qu'elle a peur. Elle a la gorge serrée depuis que Trixi s'est fait tuer et que la bande de Tammy nous a attaqués.

Elle n'est pas combative comme les autres démones. Elle croyait l'être, mais non. Je n'arrive pas à la comprendre. Je ne dis pas que je me fiche d'elle. Elle me branche... un peu. Mais je ne pige pas ce qu'elle veut. Ça allait bien à l'appartement, mais depuis qu'on est revenus dans la rue, elle s'est dégonflée.

Ce n'est pas le moment. Il faut qu'elle soit forte. Mais elle est devenue un boulet. Seize ans, et on dirait qu'elle n'a aucun instinct, même pas celui de s'occuper de sa fille.

Mais j'imagine que c'est pour ça, au fond, que je n'ai pas foutu le camp. S'il y avait seulement Becky, je lui dirais qu'il faut se séparer. Mais je ne peux pas laisser tomber Jaz.

Regarde-la. À trois ans, elle a déjà vécu dans une piquerie et puis où encore, sa mère est cette démone de Becky, elle passe le plus clair de son temps avec des ratés, des clodos et des zozos sortis de nulle part, ou des filles qui peuvent te poignarder dès que tu cilles, et là, elle se promène en pleine nuit en me tenant par la main, comme si elle s'en allait à une fête.

Comme s'il n'y avait aucun danger. Comme si on savait où aller. Mais non.

On peut juste aller dans l'avenir. C'est où, ça?

C'est pas un endroit pour Jaz, je pense. Pas pour Bex et moi, non plus. Pas quand on a un passé. C'est ça, la question, Gros-Yeux. Pour aller dans l'avenir, il faut avoir un avenir.

Je ne sais pas si j'en ai un. J'ai mon passé, comme Bex, et puis j'ai ça, le fichu présent. Mais c'est pas un présent qui te plairait. Des rues sombres, des maisons sombres, une ville sombre, un ciel sombre.

Becky me regarde.

— Blade?

J'aimerais qu'elle arrête de m'appeler comme ça. Trop tard. C'est comme ça qu'elle me voit.

— Blade?

— Quoi?

— C'est encore loin?

— Non.

— C'est-à-dire?

— Une dizaine de kilomètres.

— C'est pas loin, pour toi?

Je ne réponds pas. Elle fait la gueule depuis une demi-heure parce que je ne veux pas lui dire où on s'en va.

Elle a raison et elle a tort. À propos de la distance, je veux dire. C'est pas loin pour elle, ni pour moi. Quand t'as des flics et d'autres noufs aux trousses, dix kilomètres, c'est une galipette. Il faut qu'on fiche le camp d'ici, et vite.

Mais elle a raison pour Jaz.

Dix kilomètres pour cette petite puce, ça va faire mal. Le problème, c'est qu'on ne sait pas quoi faire d'autre. Quand on est partis de l'appartement où on a gîté, je ne savais absolument pas où on pourrait aller. J'ai seulement dit: « Faut qu'on parte. »

Loin d'ici.

C'est tout ce que je savais. Quelque part loin de la ville, là où les flics et la bande, et tous ces autres noufs, ne nous trouveront pas. Puis, en route, j'al pensé à quelque chose qui pourrait nous aider — à condition d'y arriver.

C'était pas une idée brillante, mais c'est la meilleure que j'ai eue. Alors, c'est tout ce que j'ai en tête. Ça et comment y amener Jaz — et son semblant de mère.

— Continue, Bex.

Elle me lance un regard furieux. J'en fais peu de cas, je regarde plutôt la gamine.

— Jaz?

Elle tourne la tête, braque ses yeux sur moi.

— Jaz? Tu veux monter sur mes épaules?

J'espère à moitié qu'elle dira non. Elle est légère comme une plume, mais je vais vite me fatiguer si je marche avec elle perchée là-haut. Elle me fait son sourire craquant.

Je te le dis, Gros-Yeux, elle me fait fondre, cette gamine. Elle ne parle pas beaucoup, mais elle a quelque chose. Comme une fée, une lutine, tu vois?

— Viens, alors.

Je la soulève et elle me serre le cou avec ses jambes. Je lui attrape les pieds.

— T'es plus lourde qu'avant.

— Même pas vrai.

De ses bras, elle me serre la tête. Elle me tapote les cheveux une ou deux fois, des petites tapes amusantes, comme un bébé flatte un chien.

— Arrête.

C'est une blague, mais elle s'arrête. On continue de marcher. Je sens que Becky me regarde.

Difficile de savoir à quoi elle pense. À toutes sortes de choses, probablement. Contente de me voir m'attacher à son enfant, ou peut-être le contraire. Mais ce n'est pas le moment de me poser la question.

Il faut qu'on marche. Il faut qu'on y arrive. C'est tout ce qui compte.

— Ici à gauche, Bex.

C'est une allée étroite, sans lumières ni maisons. Bex s'arrête. Je vois bien qu'elle ne veut pas y aller. Elle y jette un regard sombre.

— Qu'est-ce qu'on s'en va faire là-dedans ?

— Ça nous mène là où on va.

— Pourquoi tu nous dis pas où c'est ?

— Parce que ça ne va peut-être pas marcher.

— Tu veux dire que c'est dangereux ?

Dangereux.

Question débile, non, Gros-Yeux ? Des fois, je veux l'étrangler, cette démone. On dirait qu'elle s'imagine qu'il existe quelque chose de pas dangereux pour nous. Comme s'il y avait un chemin meilleur qu'un autre.

Mais non. Chaque chemin, chaque sentier, chaque terrain est dangereux pour nous, maintenant. On est recherchés par trop de gens, elle le sait autant que moi. Mais je ne peux pas expliquer tout ça devant Jaz.

— Bex, ça pourrait foirer, c'est tout ce que je dis, OK?

Je baisse la voix.

— Écoute, peu importe où on va, c'est risqué, à l'heure qu'il est. On parle de nous aux nouvelles. Les gens sont au courant. Une fille de seize ans, un gars de quatorze, une enfant de trois ans. Ils ont nos profils. Alors, il faut se tenir loin des gens et des caméras de surveillance. Il faut rester dans des endroits peu fréquentés, comme cette allée.

Parfois. Mais je ne le lui dis pas.

— Ça mène où?

— Ça traverse des terrains de jeux. Puis, ça se divise en deux. Une branche mène au centre-ville. On va prendre l'autre.

— Jusqu'où?

— Jusqu'à l'endroit que j'ai en tête.

— Celui dont tu ne veux pas me parler. La destination mystère.

Son ton est sarcastique, mais ça ne me dérange pas. Ce qui m'embête surtout, c'est de me déplacer avec cette démone. Elle reste plantée là à regarder.

Tout à coup, elle se retourne vers moi.

— OK.

Et elle fonce dans l'allée.

///

Je la suis, avec Jaz toujours perchée sur mes épaules. Je sais ce que tu penses, Gros-Yeux. Tu te demandes pourquoi je ne veux pas dire à Bex où on s'en va.

Eh ben, tu peux continuer à te le demander. Je sais ce que je fais. Elle est siphonnée, cette fille. Elle ne sait rien faire, elle ne connaît pas grand-chose.

Je ne te fais pas tellement confiance non plus, mais c'est une autre histoire.

On s'enfonce dans l'allée, encore, toujours, il fait plus noir que dans les rues qu'on vient de quitter. Ce n'est pas un bel endroit. C'est moins exposé que les rues, mais ce n'est pas beau. Je vais me sentir mieux en voyant les terrains de jeux. Mais il va falloir attendre un moment pour ça.

Des murs de chaque côté, tu vois? Derrière celui-là, une école. Tu ne devinerais pas, hein? Derrière l'autre, un terrain vague. Tu le verras tout à l'heure. En temps normal, je reste loin de cet endroit.

Dans le terrain vague, il y a des noufs bizarres : surtout des pilleurs d'ordures et des drogués, peut-être de temps en temps un zozo qui cherche à dormir au chaud. C'est un endroit crapoteux, mais est-ce qu'on a le choix? Mieux vaut être avec des gens qui veulent se tenir loin des flics, comme nous. On risquera moins de se faire attraper.

Mais on doit tout de même faire attention. Ces noufs-là ont beau détester les flics, ça ne veut pas dire qu'ils nous aiment. Becky parle, à voix basse.

— Il y a des gens.

— J'ai vu.

— Juste devant.

— Je les ai vus.

— On s'en retourne?

— Continue de marcher.

Trois silhouettes appuyées contre le mur. Des beignets, pas du tout dangereux. Me demande pas comment je sais.

— Blade?

Elle chuchote, elle a ralenti, elle traîne encore plus. Je chuchote à mon tour.

— Continue d'avancer. Ça va.

— Mais...

— Avance. Et ferme-la.

Elle fait les deux, plus ou moins. Je vois bien qu'elle ne veut pas. Elle veut hurler de peur dans le ciel de la nuit, et s'enfuir en courant. Elle palpe l'intérieur de sa poche. Je vois sa main qui tâtonne. Elle cherche le couteau à cran d'arrêt de Trixi.

— Bex.

Je parle à voix basse. Elle se retourne vers moi. Je lui dis:

— Non.

Malgré la noirceur, elle lit sur mon visage et retire la main de sa poche.

Pas de couteau.

Les silhouettes sont plus près, maintenant: deux hommes, des flocs qui paraissent à moitié endormis, et une femme qui se prend une lampée à même une bouteille. Ils lèvent les yeux et nous dévisagent. Je serre un peu les pieds de Jaz.

— Dis-leur bonjour, Jaz.

— Bonjour!

— Ça va, mon chou? demande la femme.

On continue de marcher. Je serre encore un peu les pieds de Jaz.

— C'est bien.

Elle me donne une autre petite tape amusante sur la tête. Elle est encore légère sur mes épaules. Je commence à me dire que je pourrais la porter tout le temps.

Plus loin dans l'allée, le mur de droite s'est écroulé. C'est le début du terrain vague. Il faut qu'on aille un peu plus loin, et vite. J'espère qu'il n'y aura pas de problème, mais il suffit d'une seule andouille pour que ça commence.

Jusqu'ici, ça va. L'allée paraît dégagée, rien dans l'ombre à droite, rien de dangereux en tout cas. Juste les gros tas de déchets que les gens déposent ici en pleine nuit, ou chaque fois qu'ils le peuvent.

— Il y a quelque chose qui bouge, dit Becky. Près du vieux frigo.

— C'est un chat.

— Tu l'as vu ?

— Je viens de te le dire. C'est un chat. Il y en a un autre plus loin.

— Où ?

— Derrière la voiture d'enfant.

Je fais un signe de la tête dans cette direction. Becky regarde.

— Je ne vois pas de chat.

— Il vient de partir.

Elle me regarde longuement.

— Tu ne rates rien, hein ?

Je ne réponds pas. Je suis trop occupé à ne rien rater.

Un autre mouvement dans les ordures. Au sol, un corps sous une couverture. Un toussotement, un petit mouvement sec, le reflet d'un œil qui s'ouvre. Il me fixe un moment, puis se referme.

On continue de marcher. La ville murmure là-bas, à gauche. Son murmure nocturne. On dirait qu'elle gémit, comme si elle voulait se reposer sans pouvoir le faire. Je connais ce bruit. Je connais tous ses bruits.

Mais ici, c'est presque silencieux. Ça trottine parmi les rebuts, probablement des rats. Quelque part derrière nous, de petits cris, peut-être les deux chats qu'on vient de rencontrer. Mais ça redevient vite tranquille. Puis un autre bruit.

Des pas.

Arrête, écoute. Becky s'arrête aussi, me regarde et dit :

— Quoi ?

— Chut !

Je guette. Aucun signe de quelqu'un qui nous suit, plus aucun bruit de pas. Continue de marcher. Le bruit recommence. Je m'arrête.

Il s'arrête.

Je regarde autour, je regarde bien. Aucun mouvement sur le terrain vague, ni dans l'allée.

— J'ai rien entendu, dit Becky.

Jaz joue avec mes cheveux comme si tout était normal. Continue de marcher, lentement, calmement. Mais je surveille, j'écoute, de mon mieux. Je ne vois personne, je n'entends personne. Aucun bruit de pas, à part les nôtres, et toujours le bourdonnement de la ville, plus loin.

— J'ai rien entendu, dit encore Becky.

Il commence à pleuvoir, à petites gouttes soyeuses. Jaz pouffe. Je lève les yeux. Je vois juste une partie de son visage quand elle se penche.

— Il pleut, dit-elle en me tirant les cheveux.

On dirait que tout est un jeu pour elle, et un court instant, c'est la bête impression que j'ai, moi aussi. Mais pas longtemps.

Les pas reviennent.

J'arrête encore, j'écoute, je regarde autour. Je sens Becky qui m'observe. J'ai encore envie de l'étrangler. C'est l'allée, le terrain vague qu'elle devrait surveiller, pas moi. Elle doit rester aux aguets.

— Quoi ?

Ça y est, je l'ai vu, plus loin dans l'allée, près du mur. J'aurais dû le repérer plus tôt. Ou bien il est habile, ou bien je perds la main.

Il s'est arrêté, il reste dans l'ombre. Je n'arrive pas à distinguer son visage, mais c'est un floc, un costaud. Il me regarde, c'est sûr, même si je ne vois pas ses yeux.

— Quoi ? répète Becky.

Elle n'a qu'à regarder. Suis mon regard et tu verras. Mais elle continue de m'observer. Je le sens. Elle me fixe comme si j'étais un cave.

— Par là.

Je fais un signe de la tête vers un côté de l'allée.

— Dans l'ombre, près du mur. Un gars.

Elle ne dit rien, mais je sens que ses yeux se détournent de moi.

— Je ne vois rien.

Jaz me tire encore les cheveux. Je lui chatouille la cheville, je regarde Becky.

— Continue, lentement. Mais ouvre l'œil.

On continue d'avancer. Je ne regarde pas derrière. Je ne vais pas me retourner à tout bout de champ. Maintenant, je l'entends, même s'il nous suit à pas de loup. Mais non, il fait du bruit en marchant. Il sait qu'on sait, et il s'en fiche.

Il faut que je jette un coup d'œil vers lui, au cas où je le connaîtrais. Mais pas encore. Faut que j'aie l'air confiant, comme si je m'en fichais moi aussi.

Sauf que je ne m'en fiche pas. J'aime pas sa traque entrecoupée. J'aimerais autant qu'il approche. Mais il garde ses distances : il nous surveille, mais il reste en arrière.

Becky est encore tendue. Je n'arrive pas à comprendre comment elle a pu se faire accepter par la bande de Trixi. Elle a dû montrer qu'elle avait du cran, quelque chose, sinon les démones ne l'auraient jamais tolérée.

Mais maintenant, elle n'a pas l'air très solide. Elle a encore la gorge serrée par la peur. Elle est descendue au fond d'elle-même et elle n'en sort pas.

— Bex.

J'écoute en parlant, j'écoute les pas. Ils sont encore là, ils résonnent clairement dans la nuit, malgré la pluie. Et ils se rapprochent.

— Bex.

Pas de réponse, pas même des yeux. Maintenant, je regarde derrière, assez rapidement pour voir ce qu'il faut. Il est plus près, toujours dans l'ombre. J'entends Becky qui s'arrête.

Je fais pareil et je la regarde. Elle scrute le fond de l'allée, derrière nous.

Elle doit bien le voir, maintenant. Il s'est arrêté aussi et il est encore dans l'ombre, mais beaucoup plus près que la dernière fois qu'elle a regardé. Je lui dis :

— Tu le vois ?

Elle renifle, se retourne, continue de marcher. Elle marmonne :

— J'vois personne.

Elle ment, Gros-Yeux. Je le sais toujours. Le pire, c'est qu'elle veut doublement m'enfirouaper. Car tu sais quoi ? Je sens quelque chose qui me paraît aussi clair que la pluie sur mon visage.

Elle n'a pas seulement vu le floc.

Elle sait qui c'est.

///

Je ne dis rien. Pas un mot. Je regarde autour, j'observe Becky. Première question : si elle le connaît et qu'elle ne veut pas me le dire, qu'est-ce qu'elle cache ?

Deuxième question : il nous a trouvés comment ? Soit par hasard, soit par quelqu'un qui nous a repérés dans les rues. Ça peut être n'importe qui. La racaille fréquente la racaille. Le mot circule, surtout s'il y a du *cash* au bout du compte.

Troisième question : si elle le connaît et qu'elle ne veut pas s'approcher de lui, est-ce que ça veut dire qu'il est dangereux ? Je n'arrive pas à me faire une idée. D'habitude, je le sais, mais avec lui, non.

Quatrième question : s'il est dangereux, pourquoi est-ce qu'il hésite ?

Peut-être qu'il est prudent et qu'il attend le bon moment. Ou alors il a peur. Il a peut-être entendu parler de nous aux nouvelles, on dit peut-être que je suis habile au lancer du couteau, que je suis dangereux, qu'il ne faut pas m'approcher.

Ça pourrait nous aider un peu. Ou envenimer les choses. Les beignets gardent leur distance, de toute façon. C'est les cinglés qu'il faut surveiller, les noufs durs qui ont quelque chose à prouver.

Ou ceux qui s'en tapent.

Becky marche plus vite, sans se retourner ni me regarder. Difficile de savoir si elle a peur du floc ou non. C'est débile. Autant le lui demander.

— Bex ?

— Pas de question.

Bon. Ça ne m'étonne pas. Je n'ai pas répondu aux siennes. Mais Jaz se met à parler, de sa petite voix rêveuse.

— Blade ?

C'est la première fois qu'elle utilise ce nom-là. J'aime pas vraiment l'entendre. Pas venant d'elle. J'sais pas pourquoi.

— Qu'est-ce que tu veux, Jaz?

— Je veux descendre.

— OK.

Je la fais descendre. C'est étrange de ne plus la sentir. Elle commençait à être un peu lourde, mais c'était bien de la porter. Elle prend la main de Becky. Becky sourcille un peu, comme si elle ne voulait pas être ralentie. Jaz n'en fait aucun cas et se contente de sourire. Après un moment, Becky lui sourit.

— Ça va, Fairybell?

Jaz fait signe que oui.

Je regarde encore une fois derrière moi. Le floc est encore là, mais il a pris un peu de retard. Il est plus difficile à voir qu'avant, mais je suis sûr qu'il parle dans un portable. On a vraiment ralenti, du moins Becky, à cause de Jaz. Ça vaut peut-être mieux. Il y a d'autres choses à surveiller ici, à part le floc.

Le terrain vague s'estompe. L'allée s'est rétrécie et les terrains de jeux commencent de chaque côté. Et je me pose une question, Gros-Yeux. Mon intention était d'aller tout droit dans l'allée, pour ensuite prendre à droite à la fourche.

Mais maintenant, je ne sais plus trop.

Quelque chose m'inquiète à propos de ce floc. Il pourrait nous attirer toutes sortes d'ennuis, surtout s'il parle de nous au téléphone. Peut-être à la bande ou aux flics. Peut-être même à l'un des salauds de mon passé. C'est peut-être un de leurs hommes de main.

Je ne le pensais pas au départ, mais maintenant, je commence à me le demander. Combien de gens travaillent pour eux ? Le floc qui a tué Trixi, son acolyte, puis l'autre, là, le gros grom hirsute. Et maintenant, ce nouveau floc avec son portable.

Il pourrait faire partie de leur groupe aussi. J'ai peut-être eu tort de penser que Bex le connaissait. Elle ne sait peut-être pas du tout qui c'est.

— Il s'appelle Riff, dit-elle tout à coup.

Je la regarde. Elle avance d'un pas lourd, en tenant encore Jaz par la main, mais elle m'observe.

— Ce gars-là.

— Tu m'as dit que tu n'avais vu personne.

— Ben, je mentais. J'l'ai vu. Et j'le connais.

Je ne dis rien. Mieux vaut ne pas insister. Elle est tendue à mort. Si je laisse faire, elle va me parler. Si je la pousse, elle va se refermer comme un poing.

La pluie s'est arrêtée, mais on continue d'avancer dans la nuit. Le floc est loin derrière, maintenant. Il n'a plus avancé. Je l'aperçois à peine dans l'ombre. J'ai l'impression qu'il parle encore dans son portable.

Je me tourne vers Becky. Elle fixe le sol, comme si elle croyait en avoir assez dit. Il faut que je la fasse parler. Mais c'est Jaz qui commence :

— Riff.

Becky la dévisage, puis lève les yeux vers moi.

— C'est un copain de la grand-mère de Tammy. Enfin, pas un copain. Plutôt un parasite.

Je vois très bien. Je me rappelle bien la grand-mère de Tammy. Une vieille boulue. N'importe qui peut la charrier.

Une image flotte dans ma tête : une autre vieille dame — Mary, ses cheveux blancs, ses bougies parfumées et sa chienne folle. Personne ne la traiterait de boulue. Mais je ne veux pas revenir là-dessus.

Ça me fait trop mal d'y repenser. Je revois le bungalow. J'entends les coups de feu et je ressens encore la brûlure de mes pas quand je me suis sauvé en l'abandonnant. Elle n'est sûrement plus en vie.

Il faut que je sorte de là, que je revienne à nos problèmes actuels.

— C'est qui, Riff, à part un parasite ?

— Il n'est pas dangereux. Mais il fréquente de la racaille.

— J'imagine.

Au moins, il ne connaît personne de mon passé. Pas s'il est relié à la bande de Tammy. C'est toujours ça de pris, je suppose.

— Il fréquente le frère de Trixi, dit Bex.

Le frère de Trixi ? Je ne savais pas qu'elle avait un frère. Super.

— C'est qui, son frère?

— Il s'appelle Dig.

— Plus vieux ou plus jeune?

— Vingt ans.

— Aussi nul que Trixi?

— Arrange-toi pour ne pas te le mettre à dos.

— Tourne à gauche.

— Quoi?

— À gauche. Traverse l'allée.

Je sens qu'elle m'observe, mais je regarde derrière. Il faut que Riff nous voie. Sauf que je ne le vois pas. Me dis pas qu'il s'est défilé, Gros-Yeux. Attends — je l'aperçois de nouveau. Il reste en arrière, mais il est là.

— Traverse l'allée, Bex. Lentement. Il faut qu'il nous voie.

Elle ne proteste pas, elle se met à traverser l'allée.

— Arrête.

Elle s'arrête, Jaz lui tient toujours la main. Elles me regardent toutes les deux. Je me penche vers Jaz en souriant.

— Riff.

Je ne vois pas sa bouche dans la noirceur. J'aperçois seulement ses yeux qui luisent. C'est eux qui parlent, on dirait.

— Tu l'aimes, Jaz?

Elle ne dit rien, elle reste là. Je commence à sentir autre chose que de la peur. J'ai encore des *flash-back* en regardant ses deux petites billes luisantes.

— Est-ce qu'il t'a fait mal, Jaz? Est-ce qu'il t'a fait quelque chose que t'aimais pas?

Je détourne les yeux vers l'allée, vers l'ombre immobile, puis je reviens à Jaz. Elle me regarde encore, comme si elle hésitait avant de répondre. Elle secoue la tête.

— Riff n'est pas dangereux, dit Becky.

Sa voix sonne dur dans la nuit. J'avais presque oublié qu'elle était là. Je me redresse, je regarde une autre fois derrière moi, dans la ruelle.

— J'espère qu'il nous a vus traverser l'allée.

— Pourquoi?

— Peu importe. Allons-y.

Je les pousse jusqu'à la clôture. On peut la grimper facilement. On arrive au terrain de jeux.

Jaz est assez petite pour se glisser dans l'écart étroit entre les fils de fer.

— Passe par ici, Jaz. C'est amusant.

Elle s'y glisse sans hésiter. Je grimpe par-dessus la clôture au moment où elle arrive sur le terrain. Becky, juste derrière moi, me demande:

— Et maintenant?

— Il faut faire croire à Riff qu'on traverse le terrain en courant.

— Pourquoi?

— Pour qu'il puisse dire ça à ses copains sur son portable. Mais un peu plus loin, on va revenir vers l'allée, la traverser à un endroit où il ne peut pas nous voir, et le semer sur les terrains de l'autre côté.

Mais je vois déjà que ça ne marchera pas.

Des deux bouts de l'allée, des lumières viennent vers nous.

111

Les lumières sont différentes. Derrière nous, assez loin, des phares d'auto. Mais ce qui me dérange le plus, c'est les lumières qui viennent de l'autre direction.

Des lampes de poche. Et il y en a pas mal.

Elles sont loin, elles aussi, mais si on était restés là une minute de plus, un des noufs nous aurait vus. Le problème, c'est qu'on va avoir de la difficulté à traverser l'allée plus loin, devant les lampes de poche.

— Allons-y. Il faut marcher plus vite.

Je soulève Jaz et je détale.

— Je veux marcher.

— Il faut que je te porte, mon chou, OK? Je te pose dès que je peux. Promis.

Elle ne proteste pas. Elle est tellement gentille.

On court. Becky me suit sans problème. J'essaie de réfléchir tout en courant. On a encore une chance de revenir sur nos pas, un peu plus loin, mais il faut dépasser le terrain de jeux, et ne pas être visibles de l'allée avant de filer vers la droite.

Il faut vraiment filer vers la droite. On ne peut pas retourner en ville. Pour arriver où je veux, il faut suivre l'allée. On peut toujours s'en sortir, à condition d'éviter les noufs et de les tenir à l'écart lorsqu'ils nous rejoindront.

Car c'est ce qu'ils vont faire. Je le sais.

On est au beau milieu du terrain de jeux. Des poteaux de rugby, des vestiaires, un pavillon. On les dépasse en courant, mais je commence à être fatigué. Je regarde en arrière.

Des phares près de la clôture, le long de l'allée, des silhouettes debout. Des flics — deux autos, quatre noufs, aucun chien.

Mais les lampes de poche ont disparu.

Elles sont éteintes, en tout cas. Les autres noufs ne veulent pas voir les flics, pas plus que nous. Mais ils sont où ? Ils n'ont pas filé vers ce terrain-ci. On est presque de l'autre côté, mais je les aurais facilement vus.

Là, j'ai des tas de nouvelles pensées.

Des pensées dangereuses, Gros-Yeux. Effrayantes, aussi. Mais elles ne veulent pas me lâcher. Il faut que j'en sache plus long sur ces noufs aux lampes de poche. Ils nous cherchent, c'est sûr, mais c'est qui ?

Pas seulement les trois flocs qui me pourchassaient. Ça, je le sais. J'ai vu au moins cinq lueurs dans l'allée. Faut que je sache qui sont ces gens. Faut que je sache à quoi ils ressemblent, à quel point ils sont dangereux.

Ouais, je sais, il y a Bex et Jaz. Je dois les mener à l'écart. Mais aussi, savoir qui nous court après, connaître mes ennemis.

— C'est quoi, le problème ? dit Becky.

Elle me regarde pendant qu'on court.

— Quelque chose te tracasse. Ça se voit sur ton visage.

— Je te le dis dans une seconde. Sauvons-nous d'abord.

On continue à courir. Encore aucun signe de vie dans le terrain derrière nous. Je ne sais plus où sont les noufs aux lampes de poche, mais j'espère qu'ils ne nous ont pas repérés non plus. Les flics sont toujours là où ils étaient. Je vois les lumières de leurs autos qui brillent dans la nuit.

Jaz devient lourde, mais on est arrivés au bout du terrain de jeux. Je m'arrête près du mur, haletant.

— À terre, dit Jaz.

— Oui, mon chou.

Je la dépose.

— Tiens.

— Qu'est-ce qu'on fait ? dit Becky.

— Jaz et toi, vous allez vous cacher derrière le mur. Plus loin, il y a un chemin où le mur de briques est en train de s'effondrer.

— Comment tu le sais ?

— Je le sais, c'est tout. Passe par-dessus — c'est facile — et cache-toi. De l'autre côté, il y a des buissons et un bout de terrain broussailleux.

— Et qu'est-ce que tu vas faire ?

— M'en retourner.

— Pourquoi ?

— Pour examiner ces gens-là.

— Mais il faut qu'on file. Tu as dit qu'il nous restait une dizaine de kilomètres avant d'arriver. Pourquoi tu veux savoir qui nous suit ? Y faut pas que ces gens-là nous voient, c'est tout. Moi, ça me suffit. Il est à peu près une heure du matin, et je veux juste foutre le camp d'ici.

Je la regarde. Elle a raison. On devrait se sauver d'ici, au moins pour Jaz. Mais ça ne va pas, Gros-Yeux.

Il faut que j'examine ces noufs-là de plus près. Je n'en reconnaîtrai peut-être même pas un seul. C'est peut-être seulement des hommes de main. Mais je veux savoir quel genre de racaille nous court après.

— Reste ici, je dis à Becky. Reste tranquille. Ça ne sera pas long.

Elle ne répond pas, elle se renfrogne. Jaz lève les yeux, comme si elle attendait quelque chose.

— Elle veut un bisou, dit Becky.

Je sens de la détresse dans sa voix.

Je regarde Jaz. Il y a bien longtemps que j'ai embrassé quelqu'un. La dernière personne, c'était Becky — pas celle-là, l'autre Becky. La toujours extraordinaire Becky. Celle qui est morte. Mais je ne veux pas parler de ça maintenant.

Je me penche, je fais une bise à Jaz. Drôle de *feeling*.

— Bye, dit-elle.

Puis elle se retourne vers Becky comme si je n'étais plus là.

Comme si je n'avais jamais été là.

— Jaz ? Ça va, ma chouette ?

— Elle pense que tu ne reviendras jamais, dit Becky.

— Quoi ?

— Elle est habituée aux gens qui ne reviennent pas. C'est pour ça qu'elle voulait un bisou. Elle pense que tu nous laisses pour de bon.

— Bex...

— C'est peut-être vrai.

Becky me lance un regard dur.

— C'est peut-être fini. Tu ne veux pas nous avoir sur le dos. Tu te déplacerais mieux sans nous. On t'embête.

Je regarde encore Jaz. Elle serre la jambe de Becky, elle enfonce son visage dans sa cuisse. Elle ne pleure pas, ni rien. Elle est seulement... je ne sais pas.

— Elle essaie de t'oublier, dit Becky.

Je me penche pour caresser les cheveux de Jaz. Elle ne bouge pas, elle ne regarde pas autour d'elle.

Ça me fait drôle. Normalement, j'aime pas être proche des gens. Mais elle, ça va.

— Jaz, je murmure. Je m'en vais une minute. Je vais revenir. Je te le promets.

Elle ne se retourne pas, elle continue de coller son visage contre la cuisse de Becky.

— Jaz?

Elle bouge la tête, juste assez pour que je voie son œil droit. Rempli de larmes.

Je suis en train de perdre la boule, Gros-Yeux. Je ne peux pas supporter ça. Je devrais peut-être rester, nous tirer de là, oublier les noufs.

Mais non. Même si la gamine me chavire, il faut que je sache ce qui se passe là-bas.

Je lui donne un autre bisou. Elle ne bouge pas, ne parle pas non plus.

— Je vais revenir, Jaz. Je te le promets.

Elle ne dit rien, elle se contente de me regarder de son petit œil humide. Je sens tomber quelque chose dans ma poche. Je sais ce que c'est, pas besoin de regarder. Je tourne les yeux vers Becky.

— Je ne veux pas du couteau.

— Garde-le. Tu en auras sûrement plus besoin que moi. Et puis, tu sais t'en servir.

Je fourre la main dans ma poche, je serre le couteau, je le tiens fermement.

— Garde-le, dit-elle.

Je le lâche, je sors la main. Le couteau paraît lourd dans ma poche, plus lourd que d'habitude. Je ne sais pas pourquoi.

— À plus tard, je lui dis avant de partir.

·I·I·I

Je dois réfléchir. Il faut que je me reprenne, fort et seul. Oublier Bex et Jaz, un moment. Si je m'inquiète de leur sort, je vais me faire pincer.

Je regarde par-dessus mon épaule. Becky a repéré la section effondrée du mur et elle aide Jaz à traverser. Au moins, elle fait ce qu'elle a à faire. J'espère seulement qu'elle m'attendra.

OK, il faut que je les oublie. Que je devienne invisible.

Encore personne dans le terrain de jeux, en tout cas je ne vois rien. Je marche, penché en avant, lentement, j'écoute vraiment, je pense fort. Je dois aller là où étaient les lampes de poche. Je sais que les noufs y sont encore. Je les sens.

Les flics ne sont pas partis, eux non plus. Leurs autos sont toujours là, les phares allumés, et je vois deux silhouettes dans l'allée. Je file vers la gauche, vers le terrain de hockey.

Arrête-toi, regarde, écoute.

Continue, glisse-toi à travers les buissons, sur le terrain de hockey suivant, arrête-toi encore. On arrive à l'allée qui mène à droite. Je la vois clairement, je vois même les terrains de jeux de l'autre côté.

J'ai eu raison de ne pas emmener Bex et Jaz ici. Il y a des gens sur le terrain. Je ne les vois pas, mais je les sens. Je suis ramassé comme un chat. Je ne bouge presque pas, mais je suis prêt à bondir. Comme je ne cours pas vite, j'ai besoin de tout l'avantage possible, au cas où ils viendraient par ici.

Mais où ils sont?

Ah, je les vois.

Au fond, là où l'allée et la clôture se croisent, au bout du terrain de hockey. Un petit groupe de silhouettes tassées, les lampes de poche éteintes. Ils ont dû s'en aller là-bas, puis revenir en voyant les phares.

Je ne pense pas que les flics les aient repérés. Ils n'ont peut-être même pas vu les lampes de poche. Combien de noufs se cachent dans le noir? Difficile à dire.

J'essaie de trouver le moyen de m'en rapprocher. Mieux vaut grimper la clôture au bout du terrain de hockey, puis m'éclipser par-derrière.

J'y vais.

La pluie recommence, douce comme avant. Elle est bonne sur mon visage. J'avance encore lentement, je ne lâche pas les silhouettes de vue. Elles ne bougent pas. Je n'entends pas de voix. On dirait qu'elles attendent. La police, peut-être.

Ou moi.

Je ne pense pas qu'on m'ait vu. Je rase presque le sol, sur la gauche. Maintenant, j'entends des voix, un murmure grave.

Puis, encore le silence.

Derrière moi, un moteur s'emballe. Des phares clignotent au-dessus de l'allée. Les flics s'en vont. La première auto fait demi-tour, puis la deuxième.

Je me suis arrêté. Je les vois revenir là où se tenait Riff. Je me demande où il est, maintenant. Parce que ça devient confus, Gros-Yeux.

Quelqu'un nous a signalés aux flics. Me demande pas comment je sais. Quelqu'un nous a vus marcher dans la rue, nous a vus aux nouvelles et nous a dénoncés.

Pas les zozos qu'on a aperçus — ils ne veulent pas avoir affaire à la police. Pas Riff — il veut nous agrafer pour la bande. Probablement une grande gueule.

Aussi, il y a les autres flocs. Quelqu'un d'autre nous les a envoyés. Ils ne sont pas arrivés ici par hasard.

Je dois en savoir le plus possible.

J'avance encore, lentement, toujours baissé. D'autres voix viennent des silhouettes, plus fortes, plus confiantes, maintenant que les flics sont partis. Mais encore assises là, pas pressées de partir.

La clôture. Arrête, écoute. Il y a des flocs à ma droite, à moitié cachés dans l'ombre. Dans un creux, eux aussi, une sorte de fossé peu profond, et j'aperçois seulement leurs têtes et leurs épaules. Il y en a un qui bouge.

Pas un geste.

Il se retourne. Je suis de pierre, figé. Je retiens mon souffle. Ils se sont tus. Personne ne parle.

D'autres têtes se tournent. Des yeux se tournent vers moi. Je ne les vois pas briller, mais je les sens fendre la noirceur, m'envahir. Ils ne me voient pas. Je me dis sans arrêt qu'ils ne peuvent pas me voir. Je sais être invisible. C'est comme ça que je survis.

Mais pourquoi est-ce que les têtes ne bougent plus ? Pourquoi est-ce qu'elles sont encore tournées vers moi ? Je suis au sol, dans l'ombre, immobile, silencieux. Qu'est-ce qu'elles regardent ?

Et là, j'entends.

Des pas feutrés arrivent derrière moi.

Merde, Gros-Yeux. Je suis coincé. Vite, je tourne la tête.

Il est là, il s'approche en douce — et je le connais. C'est le floc qui a tué Trixi. Tends-toi, fixe-le, prépare-toi à bondir, à gauche ou à droite. Tu ne peux pas te battre contre lui. Cours, cours.

Pas tout de suite. Attends qu'il se lance.

Mais il ne le fait pas. C'est quand il arrive tout près de moi que je me rends compte qu'il ne m'a pas vu. Il regarde les flocs, et eux le regardent. C'est pour ça qu'ils se sont retournés.

Mais il peut quand même me voir, à tout moment, à moins que je reste absolument sans bouger et qu'il continue de ne pas regarder. Un des flocs crie quelque chose.

— T'en as mis du temps, Paddy.

Un moment plus tard, le gars me dépasse avec ses copains.

Paddy.

Alors, c'est son nom. Un autre petit détail à ajouter au tableau. Paddy — beau parleur, beau mec, la trentaine, un salaud intégral, un meurtrier, un homme de main.

Envoyé pour me ramener.

Mais je ne vais pas m'en retourner. Pas chez eux. J'aimerais mieux mourir.

Je vais te dire une chose, Gros-Yeux. Il y a des endroits mauvais et des endroits dégueu, et puis il y a l'enfer. Et je suis passé par les trois.

Je n'y retournerai pas.

Je cherche les deux autres: le floc qui était avec lui et le grom hirsute. Mais je ne les vois pas bien dans le noir. SI Paddy me cherche, les deux autres doivent faire pareil. Il faut que je me rapproche, que je les voie mieux, que je les entende.

J'espère seulement qu'ils ne rallumeront pas trop tôt leurs lampes de poche.

Ils se remettent à parler, tout bas, trop bas pour que je comprenne. Je rampe vers la gauche, ni trop vite ni trop lentement. Il faut que je les trouve avant qu'ils se séparent. Ils pourraient s'en aller à tout moment. Et il faut que je reste caché.

L'autre clôture. Par-dessus ou par-dessous? Je cherche une façon de me glisser dessous. C'est plus sûr.

Pas vraiment. Pas assez de jeu. Je regarde à droite. Peux pas voir grand-chose. Un buisson me bloque la vue. Mais ça peut m'aider aussi.

Archi-lentement, je grimpe la clôture pour me glisser de l'autre côté. Les flocs ne font aucun bruit, aucun mouvement, c'est toujours le même murmure.

Je continue de me glisser, je redescends de l'autre côté. Je suis proche, maintenant. Je vois le fossé qui court le long de la clôture. Et le premier des flocs.

Arrête, fige, regarde. Un peu à gauche, juste une miette. Je suis étendu sur le ventre, j'épie par l'écart entre le bas de la clôture et le sol. Et là, juste au-dessous, dans le fossé, il y a six hommes.

Malgré la noirceur, je vois leurs visages. Tout de suite, j'en reconnais trois: Paddy, son copain et le gros grom. Les trois autres, je ne les connais pas, mais ils ont l'air coriaces. Est-ce qu'ils me cherchent, eux aussi? Je ne pensais pas être dans la merde à ce point-là.

Paddy parle.

— Alors, personne n'a vu le gars?

Je vois des têtes qui se secouent.

— Il était coincé ici, dit le grom, pendant que tu étais là-bas avec Riff.

Riff!

Ces gars-là connaissent Riff! Merde, Gros-Yeux. Je ne m'attendais pas à ça. Et s'ils connaissent Riff, ils connaissent aussi la bande, et le frère de Trixi. Ils ont dû se rejoindre, d'une façon ou d'une autre. Me demande pas comment.

Mais je vais te dire. Ils n'ont sûrement pas dit à Tammy que Paddy avait tué Trixi. Ils ont dit que c'était moi ou Bex. C'est peut-être pour ça qu'ils travaillent ensemble. C'est une expédition de chasse.

Mais les flocs jouent de leur côté.

Le grom continue.

— On ne pouvait pas bouger à cause de la police.

Il fait une pause.

— Qu'est-ce que vous avez fait des deux autres?

Les deux autres ? Je frissonne, j'ai une bouffée de peur brûlante. Paddy répond :

— J'ai laissé Riff s'occuper de la gamine.

Je sursaute. Pas possible. Pas Jaz. C'est sûrement une autre.

— Et la fille ? dit le grom.

Je ne veux pas écouter, j'ose pas. Mais il est trop tard. Paddy répond. Et ses mots m'ébrèchent le cœur.

— Je l'ai tuée.

·///·

J'ai mal, c'est comme si on m'avait poignardé.

Je ne savais pas que c'était possible. Je ne me pensais plus capable d'avoir des sentiments pour quelqu'un. Mais je viens de m'ouvrir de nouveau. Jaz et Becky sont entrées dans ma vie et maintenant, la petite a été enlevée et Becky est morte. Et c'est ma faute. Qu'est-ce que j'ai fait là ?

Les hommes sont en train de discuter.

— Merde, Paddy !

— C'est vraiment débile !

— Pourquoi t'as fait ça ?

— Il le fallait. Elle aurait pu parler.

— Mais ils nous ont dit de garder les mains nettes. Seulement le garçon.

— J'ai pas pu m'en empêcher, dit Paddy. OK?

— T'as pas pu t'en empêcher non plus dans le bungalow. Ça fait deux fois.

Murmure de colère chez les autres.

— J'ai caché le corps, dit Paddy. Ils ne le trouveront pas avant un moment.

Ils deviennent silencieux, on dirait qu'ils ont besoin de réfléchir.

Je cherche désespérément à sortir d'ici. Je dois découvrir ce qu'a fait le floc. Ça ne sera pas facile. Il a pu la cacher à plein d'endroits. Un fossé, un buisson, une décharge. Mais il faut que j'essaie.

Seulement, je ne peux pas me mettre à courir comme ça. Il faut que je réfléchisse, que je me faufile et que je sois rusé, sinon ils vont me voir. C'est insupportable, Gros-Yeux. Ça me déchire en mille morceaux. Je suis là, juste à côté des noufs qui sont venus me chercher pour me ramener, avec le gars qui a tué Becky, et j'essaie de réfléchir, de rester calme. Mais je perds complètement les pédales.

Respire, oblige-toi à respirer.

J'essaie de respirer aussi lentement et calmement que possible, mais je suis essoufflé et agité, et je tente de retenir mes larmes. Un des flocs se retourne et regarde dans ma direction.

Je vois ses yeux, clairs et nets. Luisants et dangereux. Est-ce qu'il me voit ? Je ne sais pas. Je ferme les yeux pour cacher leur reflet. Les flocs ne font aucun bruit, ils ne parlent même plus.

Qu'est-ce qu'ils font ? Qu'est-ce qu'il fait, le gars ? Je ne l'ai pas entendu bouger, je ne le sens pas s'approcher. Je veux ouvrir les yeux, mais j'ose pas. Je les ferme bien fort au cas où il les verrait. Je sens les larmes qui les noient, qui me noient.

J'ouvre les yeux et voilà le floc qui regarde encore. Il doit m'avoir vu. Il m'a sûrement vu. Puis il se retourne, allume une cigarette et dit : « On bouge ! »

Les autres restent là. J'ai la vue embrouillée par les larmes. Je les observe, j'essaie d'oublier la douleur et de faire ce que j'ai à faire. Je regarde les visages, je les fixe dans ma tête, je les retiens.

C'est ici que tout change. C'est ici que j'arrête d'être la proie.

Le grom s'est levé. Il baisse les yeux vers le gars à la cigarette.

— Lenny a raison. C'est pas en restant assis qu'on le trouvera. On s'en va.

Lenny — un autre nom. Je le fixe dans mon esprit, je le fixe dans ma mémoire. Comme la haine est vite revenue. Je croyais l'avoir laissée derrière, mais j'avais tort.

Ils se lèvent tous. Paddy tend la main, prend la cigarette de Lenny et allume la sienne avec, et la lui rend. Puis, il regarde les autres.

— On y va.

Ils sortent du fossé et s'en vont vers l'allée. Une seconde plus tard, ils sont partis — et moi, je grimpe par-dessus la clôture et traverse le terrain de hockey en courant.

Je pleure encore, Gros-Yeux, je cours et je pleure. Je devrais me retourner, vérifier au cas où ces flocs m'auraient charrié en sachant que j'étais là depuis le début et seraient revenus pour m'attraper — mais je ne peux pas.

Même que je m'en fiche. Je cours à l'aveuglette, en chialant comme un veau et en criant, déchiré par la colère, la douleur et la peur. Je traverse le terrain de hockey suivant, je trébuche dans le noir, sous la pluie, j'arrive au mur effondré et je grimpe.

Elles ne sont pas là.

Et alors? Je savais bien qu'elles ne seraient pas là. Mais j'espérais avoir tort, avoir mal entendu. Que Paddy se soit vanté devant ses copains.

Mais non. Il disait la vérité. Et je le savais depuis le début.

Ça ne sert à rien de chercher Bex. Elle est morte et bien morte, et c'est ma faute. Je m'agenouille là où on était.

— Bex.

Je parle à une ombre, mais je ne peux pas m'en empêcher.

— Bex, je suis désolé. S'il te plaît... je suis désolé.

Je regarde attentivement autour de moi à travers mes larmes, en essayant de comprendre ce qui s'est passé. Tout près, il y a un bâton, gros et lourd. C'était peut-être celui-là. Ça aurait suffi. Un coup aurait suffi.

Je ne veux pas penser à ce que Jaz a vu.

— Pardon, Bex.

J'aurais pas dû la laisser. J'aurais pas dû laisser Jaz.

— Pardon, pardon.

J'aurais pas dû partir. J'aurais dû les éloigner d'ici, les mettre en sûreté.

Je me lève, je regarde autour, j'essaie de réfléchir. Il pleut encore. Le vent se lève. Le ciel est plus sombre que jamais. Je suis debout ici, au petit matin, et je sais que c'est le moment.

Je suis seul encore, comme avant. Je peux faire ce que j'avais l'intention de faire avec Bex et Jaz. Je peux m'enfuir, m'évader. Ou je peux faire autre chose.

Devenir chasseur.

Je n'ai pas besoin de réfléchir. J'ai su, dès que Paddy a annoncé sa nouvelle avec un petit sourire narquois. J'ai sorti le couteau, je l'ai déplié. La lame est humide de pluie, on dirait qu'elle verse des larmes.

— Écoute...

Je parle tout bas. Je ne sais pas à qui. À qui je parle, Gros-Yeux?

Je serre le couteau, et je comprends.

Je parle à Becky — la Becky qui vient de se faire tuer, et à l'ancienne Becky, la Becky qui me connaissait, la Becky qui est morte elle aussi. Et je sais qu'elles écoutent.

Je regarde le couteau. Les deux Becky s'y reflètent. Je replie la lame, avec ses larmes, dans le manche. Et je leur parle encore.

— Ça, c'est pour vous deux.

///

Je cours encore, j'arrive à l'allée. Je ne la prends pas par où on est venus, mais par où on allait, et par où sont partis les flocs. Je ne les vois pas. Ils ont pris de l'avance. S'ils n'ont pas bifurqué, je vais les voir dans quelques minutes, pourvu qu'ils ne courent pas.

Pourquoi ils courraient? Qu'est-ce qui leur fait peur ici? Sûrement pas un gamin comme moi.

C'est là qu'ils se trompent. Ce n'est pas leur territoire. C'est le mien. Ma ville. Ils ne la connaissent sûrement pas comme je la connais. Et ils ne me connaissent pas, ils *croient* me connaître.

Cours, cours, cours vite. Il pleut encore. C'est tout ce qui reste de mouillé sur mon visage. Mes larmes restent en dedans, mais je veux qu'elles continuent de couler. Je ne veux pas qu'elles s'arrêtent. Jamais.

Je marche vite, maintenant, même si je suis fatigué. J'ai besoin de ralentir. J'ai peur que mon cerveau s'arrête quand je les verrai. Si je laisse la colère prendre le dessus, je ne gagnerai pas. Pas contre six. Il faut que je m'oblige à penser, à planifier, à observer.

Stop! Je les ai vus — une grande ombre qui bouge, loin dans l'allée. Ils sont ensemble, ils marchent en silence, les lampes de poche encore éteintes. Ils ont dû penser que j'étais proche, avant, quand ils les ont allumées.

Je n'arrive pas encore à réaliser qu'ils ont contacté Riff et les démones. Je me demande comment Paddy leur a fait croire que Becky ou moi, on avait tué Trixi.

Mais bon. Je sais qui sont mes ennemis. J'en ai six qui marchent devant moi.

Personne n'a regardé en arrière. Va vers le côté de l'allée, reste dans l'ombre, suis en douce. Reste invisible. Je m'apaise, maintenant, je deviens calme — il le faut bien —, mais je suis fumant de rage.

Je suis tellement dangereux que ça me fait peur.

Mais ce n'est pas le moment d'agir. Reste en arrière, observe, suis. Je saisis le couteau dans ma poche. Je le serre. Je veux le sortir, l'ouvrir. Des souvenirs m'envahissent, des images du passé que je ne veux pas voir. Mais je ne peux pas les arrêter. Elles me remplissent comme une douleur liquide, se mêlent aux larmes, à la colère et à la haine, à la culpabilité.

Surtout.

Je vois les flocs de dos et je me referme. Il n'y a pas seulement les images du passé. Les images de

Jaz emmenée, les images de Becky étendue quelque part, morte. Son corps doit être froid, maintenant, froid et humide, et bientôt rigide.

Et je l'ai laissée là. Je l'ai laissée mourir.

Je serre encore le couteau.

Arrête de me regarder comme ça, Gros-Yeux. Non. Arrête, c'est tout. Tu ne comprends pas. C'est une question de vengeance, maintenant. Mais il faut que j'agisse à ma façon.

Ils ralentissent. Le grom est resté derrière, il se fatigue. Il est fort, mais pas en forme. Pas étonnant, il est trop gros avec sa panse. Les autres tournent la tête vers lui. Bon, il s'arrête pour reprendre son souffle.

Ils s'arrêtent tous. Paddy allume une autre cigarette. Ils murmurent quelque chose.

Pas un geste !

Il y en a un qui regarde derrière, dans l'allée. Rapproche-toi de la clôture, ramasse-toi bien bas. Une lumière s'allume, une des lampes de poche, elle se promène, elle cherche. Je reste immobile, discret. S'ils viennent vers moi, il va falloir que je décampe rapido.

C'est pas une bonne idée de me mettre à courir dans l'allée. Ils vont me rattraper, même si j'ai de l'avance. Mieux vaut grimper la clôture et me rendre jusqu'à la voie ferrée. Ce sera plus facile de les semer, là-bas.

Mais ils ne viennent pas vers moi. La lampe de poche s'éteint, et les flocs continuent leur chemin.

Je me glisse derrière eux, lentement, lentement, en restant collé à la clôture. Je suis enfoui dans l'ombre et je les observe de dos, je surveille le premier qui se retournera. Mais ils avancent toujours, même le grom, qui souffle comme une baleine.

Alors, il faut que je surveille. D'autres zozos. Juste devant moi, il y en a deux, assis près de la clôture. Les flocs ne les ont même pas vus, mais si un des deux me parle, c'est risqué. Les flocs pourraient entendre.

Arrête, attends, laisse les flocs prendre de l'avance. Recommence à marcher. J'ai bien fait : le premier zozo jacasse tout de suite.

— T'es perdu, le jeune?

Je ne réponds pas, je continue de marcher. Je les ai presque dépassés quand son copain bondit.

Je sors aussitôt le couteau. Il est déplié, luisant, et il siffle devant son visage. Le zozo recule, les yeux rivés sur la lame.

Je continue de brandir le couteau, tout en surveillant le gars. Je sens l'autre zozo affalé à côté. Son copain continue de fixer la lame, puis il hausse les épaules et dit: « OK, d'accord », et se rassoit.

Je replie le couteau, le remets dans ma poche et continue.

Ça devient dangereux. Ça ne l'était pas avant, quand il me faisait face. C'est juste deux beignets. Ils ne peuvent pas m'attaquer. Mais ils peuvent me causer du tort. Ils peuvent me crier des insultes. Ils peuvent pousser les flocs à se retourner pour voir.

Mais les beignets ne disent rien.

Les flocs sont loin devant, maintenant. Continue, reste en arrière, mais il faut les surveiller, voir où ils s'en vont. Ils suivent encore l'allée, mais ils approchent de la fourche qui conduit soit à la ville, soit à la banlieue.

C'est là que j'allais emmener Bex et Jaz. C'était mon plan d'évasion. Il n'était pas mal. Je pourrais encore l'utiliser si je voulais. Mais ça ne sert à rien d'y penser.

Tout a changé, maintenant. Le passé et le présent se sont encore rejoints.

D'autres zozos devant, mais encore moins menaçants que les deux derniers, et tous étendus sur le côté de l'allée, en train de dormir, de faire un somme, ou drogués. Ils ne savent probablement même pas que je suis là.

Dépasse-les, ne quitte pas les flocs des yeux, un autre demi-kilomètre, puis un autre, puis un kilomètre et demi, je les surveille encore. Pourquoi est-ce qu'ils ne sont pas venus en auto ? Ils n'avaient pas à marcher. Mais j'ai l'impression de piger.

Pas de phares, ça veut dire aucun signal. Quelqu'un nous a vus et les a prévenus — Riff, probablement — et ils sont venus nous chercher, peut-être dispersés au départ avec les lampes de poche, reliés par téléphone portable.

Tant mieux pour eux. Ensuite, si les flics se pointent, comme ils l'ont fait, ils peuvent se séparer pour se cacher, et se regrouper plus tard.

Autre chose: ils n'avaient pas l'intention de prendre Bex et Jaz. S'ils avaient voulu nous enlever tous les trois, ils seraient venus avec leur véhicule jusque dans l'allée. Ça aurait fait trop d'histoires, nous transporter tous les trois, surtout si on avait gueulé.

J'imagine que c'est pour ça que Paddy a descendu Bex et a permis à Riff de prendre Jaz. C'est moi qu'il cherche. Eh bien, il ne m'a pas encore.

Mais j'arrive à la fourche et il y a une camionnette stationnée tout près.

Les flocs se sont arrêtés.

Pas un geste, attends, regarde-les bien. Je suis encore tapi dans l'ombre. Ils parlent à voix basse. Le grom a encore du mal à respirer, mais il a pris une cigarette à Paddy et il est en train de l'allumer.

La pluie s'est arrêtée.

Je me glisse plus près. J'ai plusieurs possibilités, mais elles sont toutes dangereuses. D'abord aller au plus simple. Le numéro de plaque. Je ne peux pas le lire. Il faut que je me rapproche.

Glisse, glisse, plus bas, plus bas. J'entends encore la ville. Elle est sur la gauche. Pendant tout ce temps-là, elle parlait, comme toujours, mais je n'écoutais pas. Je ne pouvais pas. Il fallait que je me creuse les méninges pour m'occuper de ces ordures.

C'est ce que je suis encore en train de faire, plus que jamais.

Alors, pourquoi est-ce que j'entends encore la ville ? Dis-moi, Gros-Yeux. Pourquoi je l'entends encore ? Un murmure faible, comme si elle était mécontente de ne pas dormir, comme si elle savait qu'elle ne dormira jamais. Ou peut-être seulement parce qu'elle en a trop vu, trop de noufs comme eux et moi.

Comme ce qui va suivre.

·I·I·I

En toussant, le grom me ramène à la réalité.

Le numéro de la plaque. Je peux le lire, maintenant. Je me le repasse une ou deux fois en tête

— c'est fait. J'ai une bonne mémoire, comme pour les histoires que j'ai lues.

Maintenant, je regarde tout le reste. La camionnette, les flocs, l'embranchement, les déchets, les terrains qui s'étendent là-bas derrière — puis la camionnette, encore.

J'ai des idées plein la tête, mais seulement une qui compte. Elle est tellement forte que je ne peux pas l'abandonner. Essaie pas de me la faire lâcher, Gros-Yeux.

Il est trop tard pour les mots, maintenant. J'ai les deux Becky en tête. Je les vois clairement, je vois Jaz, je vois tout le reste. Je suis tellement noir de colère que je veux déchirer le ciel.

Je me rapproche lentement, par la brèche dans la clôture, jusqu'à l'autre côté. À ma droite, du côté gauche de l'allée, appuyés au mur, les flocs fument en chuchotant. Il y en a deux qui pissent. Paddy parle dans son portable.

Un rat me frôle et disparaît dans les buissons. Je suis près des tas de déchets, de ce côté-ci de l'allée. La décharge n'est pas aussi grande que celle qu'on a croisée tout à l'heure, mais elle contient tout ce qu'il me faut.

Un autre rat. Il s'arrête, me regarde, disparaît lui aussi. Je continue, je surveille les ombres des hommes de l'autre côté de la clôture, mais moi aussi je cherche, je fouille dans les piles d'ordures.

Je trouve bientôt ce que je veux. Je le glisse sous un buisson et je marche en silence, lentement, en ramassant des pierres. Je m'arrête à la clôture, j'épie par l'ouverture.

Ils sont encore là, mais ils ont arrêté de parler, sauf Paddy dans son portable. Ils sont impatients — je le vois — comme s'ils voulaient qu'il se dépêche. Ils continuent de lui tourner autour en le regardant.

Je le surveille, moi aussi, Gros-Yeux.

Oh oui !

Il a fini son appel. Il a un petit rire prétentieux, comme si tout était impec dans le monde, comme s'il n'avait jamais fait de mal à une mouche. Il remet le portable dans sa poche, se tourne vers les autres. Ils le regardent bien, maintenant.

Mais pas aussi bien que moi.

Je choisis une des pierres, je surveille, j'attends. Il fait un signe du menton vers la camionnette et ils se mettent en marche. Je lance la pierre dans le noir, bien au-dessus de leurs têtes.

Un bruit sourd et moelleux dans les déchets, de l'autre côté de l'allée.

Les flocs s'arrêtent.

Personne ne dit rien, mais ils regardent attentivement en direction des déchets, où la pierre a atterri. Il y en a un qui parle enfin, à voix basse. Mais je l'entends.

— Probablement un chat.

Il n'a pas l'air convaincu.

J'attends, j'observe. Ils sont encore en train de regarder vers le tas d'ordures de l'autre côté de l'allée, comme s'ils s'attendaient à un autre bruit. Paddy fait un autre signe de tête en direction de la camionnette.

— On continue. C'est pas lui.

Un rire de la part des autres flocs, un rire forcé. Et je me dis : ouais, riez bien, riez un bon coup. C'est pas le jeune. C'est le dernier endroit où il pourrait se trouver.

Riez autant que vous voulez.

Je lance une autre pierre, sur la gauche.

Ils se raidissent, tous en même temps. Maintenant, ils regardent vraiment, cette fois dans toutes les directions. Ils ne sont pas fous. Même le grom regarde tout autour.

Mais ils ne me voient pas. Je suis dans un petit creux, juste en bas de la clôture. En compagnie de sacs-poubelle et de vieilles boîtes de conserve, mais je m'en fiche. Je vois nettement les flocs, mais quand les lampes de poche s'allumeront, ils ne me verront pas.

Et voilà. Six lampes s'allument.

Je penche la tête un peu plus, par prudence. Ça ne m'empêche pas de voir. J'observe comme moi seul sais observer. Ils sont encore regroupés, et nerveux. Je le vois à leur façon de se tenir.

Six grands types effrayés par un bruit inconnu.

Je pourrais leur parler de la peur. Je pourrais leur parler de l'inconnu.

Je prends une autre pierre. Je dois faire attention, cette fois-ci. Avec leurs lampes de poche allumées, ils pourraient l'apercevoir en vol. J'attends, je regarde — et je lance, bien loin d'eux, plus loin dans les ordures, de l'autre côté.

Les flocs se retournent par là.

— Allez-y, dit Paddy.

Ils traversent l'autre clôture, les six, en avançant maladroitement dans les ordures. Dès qu'ils ont disparu, je traverse ma clôture et m'approche de la camionnette, le couteau déplié. Deux pneus, ce sera assez. Non, disons trois. Merde, et puis quatre. Pourquoi pas ?

Zap ! Puis un doux sifflement.

Trois autres, et je retourne dans le creux, en retraversant ma clôture. Je suis à bout de souffle, mais je me calme, referme la lame, remets le couteau dans ma poche, surveille encore l'allée.

Ils reviennent un à un, regrimpent la clôture. Le grom arrive en dernier. Il a l'air abattu. Les autres sont déjà à côté de la camionnette et l'attendent.

Moi aussi, je les attends.

Car je n'ai pas fini. Mais d'abord, il faut que quelqu'un voie ce qui s'est passé. Le grom s'en charge.

— Les pneus.

Ils tournent la tête vers lui, puis vers les roues.

— Merde !

Ils font le tour de la camionnette en marmonnant et en jurant. Mais je regarde le visage de Paddy. Il n'a pas dit un mot, il n'a pas montré un seul éclair de colère.

Il regarde encore autour de lui, en inspectant l'allée avec sa lampe de poche.

— Dispersez-vous !

Ouais, bonne idée, Paddy. Fais-les se disperser.

Sauf toi.

Il faut que tu restes ici.

Il s'est arrêté au milieu de l'allée. Trois des flocs ont regrimpé la clôture pour fouiller les déchets de l'autre côté. Le grom et un autre gars se sont éloignés pour inspecter l'accotement.

Paddy est encore près de la camionnette.

Allez, Paddy. J'ai besoin de toi de ce côté-ci.

Il parle, pas très fort, on dirait qu'il sait qu'il n'en a pas besoin.

— Elle n'a pas beaucoup résisté.

Il regarde fixement du côté de l'allée où je me terre. Il ne me voit pas. Mais c'est comme s'il me regardait dans les yeux. Car ses mots me vont droit au cœur. Comme s'il le savait.

— Tu vas la trouver dans un fossé.

Il a un petit rire moqueur.

— Si jamais tu veux te donner la peine de chercher, en tout cas. Si j'étais toi, je ne perdrais pas mon temps. La vie est courte. T'es d'accord, non ?

Ouais, Paddy. Je suis bien d'accord.

Je vois la lueur des autres lampes de poche qui fendent la nuit. Mais elles ne sont pas dangereuses. Elles sont dans un autre monde. Il y a seulement deux personnes dans mon monde, maintenant.

Paddy et moi.

Il regarde dans ma direction, il regarde bien et je me demande, Gros-Yeux — est-ce que c'est le destin ? Ou bien moi ? Est-ce que je peux l'attirer ici par la pensée ?

C'est comme le livre que je t'ai montré.

La volonté de puissance.

Ouais, la volonté de puissance.

Seulement, là, c'est différent. Je te regarde, Paddy, et je te demande: elle est de quel côté, la puissance, maintenant? Elle est de quel côté, la volonté?

Il regarde encore dans ma direction.

— Approche, je lui murmure. Approche.

Il vient, lentement, pas très sûr de lui, en dardant à gauche et à droite le rayon de sa lampe de poche, qui tombe sur des piles d'ordures derrière moi, et même sur moi, mais je suis encore trop bas pour qu'il me voie.

Il est près de la clôture, maintenant.

Je me glisse vers la droite, en restant dans le creux. La lampe de poche continue de chercher, mais elle me rate complètement. De l'autre côté de l'allée, j'entends les flocs qui remuent des déchets.

— Allez, je murmure.

Paddy grimpe la clôture. Tout ce que je vois de lui, c'est l'éclat éblouissant de la lampe de poche et, derrière, son fantôme. Qu'est-ce qu'il voit?

Rien.

Car je suis un fantôme, moi aussi. C'est ce que je sais faire de mieux. C'est aussi facile que de piquer des portefeuilles.

Sauf que, cette fois, je pique la vie d'un homme.

Qu'est-ce qu'il va voir, pendant ses dernières secondes? Est-ce que c'est comme on le dit? Que toute ta vie défile comme un éclair, tout ce que tu as fait? Ou c'est peut-être seulement comme fermer la lumière, comme éteindre sa lampe de poche?

Il ne me voit pas bouger, saisir la batte de cricket sous le buisson, il me voit seulement quand je suis droit devant lui. Car je ne fais pas ça par-derrière, Gros-Yeux. Je fais ça comme il faut.

Il se raidit, ouvre la bouche.

Il ne dit pas un mot. Le coup au ventre lui a coupé le souffle. Un autre au menton, un autre à l'arrière de la tête. Il halète et titube. Je lui arrache la lampe de poche de la main, je lui donne un coup de pied dans les jambes.

Il tombe à genoux, mais il est encore à la verticale. Il tâtonne, mais il est étourdi, il ne fait pas les bons gestes, son visage est aussi tordu que son cœur, et il marmonne quelque chose. Car il sait ce qui s'en vient.

Seulement, je m'en fiche.

Je le regarde dans les yeux. Tout ce que je vois, c'est le sang que je suis venu faire couler. Je parle. Je ne reconnais pas ma voix.

— C'est pas pour Becky. C'est pour moi.

Il ne répond pas. Il se contente de me regarder fixement. Il sait que tout est fini. Je laisse tomber la batte, sors le couteau, le déplie.

J'embrasse la lame.

111

L'aube. Lumière sans lumière. Le soleil de novembre se faufile au-dessus de la ville. Mais il entraîne la noirceur, c'est comme un jour à l'envers. Je suis seul, en sûreté, invisible.

Mais je suis en train de foutre ma vie en l'air.

Ou ma mort.

Quelle différence ? Il n'y en a peut-être pas. Vie ou mort, pile ou face. Tu lances une pièce, tu y vas.

Il fallait que je le tue, Gros-Yeux. Par vengeance. C'était juste. Il fallait que je le tue. Tu m'écoutes? Il fallait que je le tue.

Alors, pourquoi je ne l'ai pas fait?

Pourquoi il est encore en vie?

Dis-moi.

Je continue de regarder la lame, je la déplie, je la ferme, j'appuie sur le bouton du cran d'arrêt. Qu'est-ce qui s'est passé? Je revois des images, mais elles sont tordues, comme les dessins de Jaz. Elles n'ont ni queue ni tête.

Je revois le visage de Paddy, son regard, sa bouche qui supplie. Sans mots, ni rien, juste ses lèvres qui bougent, qui implorent. Puis une autre image — de moi qui fais demi-tour.

Qui cours.

C'est pas bien. Je ne fais pas ça. Je n'ai jamais fait ça, pas quand c'est sérieux. Je suis Blade. Si on m'appelle comme ça, c'est qu'il y a une raison! Je ne blague pas. Je suis Blade. C'est moi, Blade, bon sang!

Mais je ne l'ai pas tué. Je me suis détourné et j'ai couru.

Aide-moi, Gros-Yeux. J'sais pas ce que je suis.

Encore du soleil, de la nuit. Tout est sens dessus dessous, tout n'est pas comme d'habitude. Je remets le couteau dans ma poche, je regarde autour...

Une ruelle, dans le lotissement Bickton. Comment je suis arrivé ici ? Je ne me rappelle pas. Minute, ça me revient. J'ai choisi l'endroit pour une raison. Qu'est-ce que c'était ? Je devais bien avoir une raison.

À l'extérieur de la ville, c'est ça. À l'extérieur de la ville, à l'extérieur de l'extérieur. Des maisons à moitié endormies, des noufs à moitié endormis. C'est sûrement la première raison : personne ne regarde. Quelle est la deuxième ?

Réfléchis. Fais un effort.

Quelle est la raison numéro deux ? Il doit y en avoir une. Sûrement pas le fait que l'endroit est à moitié endormi.

La cabine téléphonique.

C'est ça : la cabine téléphonique. Un appel. J'aurais dû le faire il y a des heures, mais je n'y ai pas pensé. Je viens tout juste de me faire secouer la cervelle, je me suis écroulé ici en essayant d'attraper des ombres dans ma tête. Sans faire ce qu'il fallait.

RÉFLÉCHIS!

Oublie Paddy. Oublie le couteau. Oublie ce que t'as pas fait.

Démarre ton cerveau.

« Cabine téléphonique. »

C'est ça. Parle tout haut.

« Cabine téléphonique. Un appel. »

Je me redresse, je regarde dans la ruelle. Tout roupille dans les environs, mais je dois tout de même rester prudent, Gros-Yeux. Y a pas mal de noufs ici, ils ont la radio et la télévision, et ils ont sûrement entendu parler du garçon que les flics recherchent.

Jusqu'ici, tout va bien. Les rideaux sont tirés. Tout est tranquille, j'entends seulement le bourdonnement de la ville, plus loin — et maintenant, je suis content de l'entendre. Je marche vers la cabine en traversant la rue. Je vérifie : une tonalité — c'est bon. Je réfléchis, je respire, je réfléchis, je respire.

Quelle sorte d'accent? Celui que je fais le mieux, c'est l'écossais.

9... 1... 1.

Un homme répond. Je demande la police. Il me met en contact. Une femme.

— Services d'urgence de la police, puis-je vous aider?

Merde, elle est écossaise.

— Puis-je vous aider?

J'essaie l'accent irlandais.

— J'ai de l'information.

Ça ne sonne pas très irlandais, mais je fais de mon mieux.

— D'accord. Mais puis-je seulement prendre votre nom et votre numéro de téléphone?

— Non, vous pouvez vous taire et écouter. J'ai de l'information à donner, gratis. Mais si vous commencez à me poser des questions, je raccroche, OK?

— Prenez votre temps.

Elle reste zen. Elle ne paraît pas du tout démontée. Contrairement à moi. Je respire par saccades, j'essaie de me calmer, de rester irlandais.

— J'ai d'abord un numéro de plaque pour vous. Écrivez-le.

Je lui donne les détails. Heureusement, je ne les ai pas oubliés. Je lui décris la camionnette, l'endroit où elle était garée, le signalement des flocs. Je garde Paddy pour la fin. En quelque sorte, je ne veux pas le mentionner. Je veux qu'il s'évade, pour faire une autre tentative. Je ne bousillerai pas l'affaire une deuxième fois.

Oh non ! Ça, je le sais.

Mais je lui parle de lui. Ce serait inutile de ne pas le faire.

— Avez-vous noté tout ça ?

— Oui.

C'est la première fois qu'elle parle depuis que je lui ai dit de se taire.

— Et vous dites que cet homme s'appelle Paddy ?

— Ouais.

— D'accord. Alors, il y aurait environ six hommes, mais vous ne connaissez que deux noms : Paddy et Lenny. C'est bien ça ?

— Ouais, et il y a autre chose à propos de Paddy.

Je revois son visage, j'imagine la plaie que j'aurais dû lui laisser en travers de la gorge si seulement je ne m'étais pas énervé.

— Il y a... autre chose à propos de lui.

— Oui ?

— Il a peut-être la mâchoire brisée.

— C'est arrivé comment ?

— Il a été frappé avec une batte de cricket.

— Par qui ?

Je ne réponds pas. J'essaie de réfléchir, de garder mon accent, de ne pas paniquer. Je lui en ai trop dit, mon esprit s'est évaporé.

— Par qui ? dit-elle.

Une fois de plus, je ne réponds pas. Je suis encore en train de perdre mes moyens. J'ai la cervelle secouée, je revois ce que j'aurais dû faire à Paddy, ce que je ne peux pas imaginer ne pas avoir fait à Paddy.

Respire, respire, force-toi à respirer. La femme se remet à parler.

— J'ai tout noté, mais vous ne m'avez pas encore dit pourquoi cette information est importante.

Une autre respiration. Longue, lente. Je m'efforce de parler.

— La fille qui s'est fait tuer dans le bungalow à Carnside.

— Oui ?

— Vous en avez entendu parler ?

Question idiote. Bien sûr que oui. Mais elle répond de la même voix calme.

— J'en ai entendu parler.

— J'ai entendu dire aux nouvelles que vous cherchiez un garçon qui s'appelle Clean et une fille qui s'appelle Becky.

— C'est vrai. Est-ce que vous pouvez me donner de l'information à ce sujet ?

— J'ai vu Clean. Tout ce que je viens de vous dire, je l'ai appris de lui.

— Où est-il ?

— Je n'en ai pas la moindre idée, et je ne vous le dirais pas, de toute façon. Mais écoutez : je le connais un peu et ce n'est pas lui, le meurtrier. C'est juste un jeune de la rue, un peu fêlé. Il m'a dit qu'il était entré dans le bungalow pour rigoler et qu'il avait trouvé la fille, morte, à l'intérieur, et le gars nommé Paddy était debout à côté d'elle. Et il y avait une autre fille aussi, une dénommée Becky. Clean et Becky se sont sauvés et, plus tard, la fille lui a dit que Paddy avait tué Trixi. C'est pas elle qui l'a fait, et c'est pas Clean non plus. C'est Paddy. Vous écoutez toujours?

— Oui.

Il faut que je raccroche. Ils ont probablement retracé l'appel, à l'heure qu'il est. Il faut que je décampe, vite. Mais je n'ai pas fini.

— Clean m'a dit autre chose.

— Quoi donc?

— Que Paddy a tué Becky aussi. Il l'a frappée à la tête, je pense. Je n'ai pas pu tout apprendre de Clean. Il a seulement dit qu'il était dans l'allée avec Becky et sa petite fille, et que Paddy et ses hommes les ont rattrapés. La petite fille s'est sauvée, et Paddy a zigouillé Becky. Clean s'est sauvé aussi, mais il dit qu'il a vu Becky se faire tuer. Il ne sait pas où est son corps. Il est peut-être resté là, ou ils l'ont peut-être jeté dans un fossé. Clean ne voulait plus rien me dire et il est parti. Alors, vous devez mettre le grappin sur Paddy et les autres gars.

— Très bien. Alors, écoutez...

— Faut que j'y aille.

— Où est Clean, à présent?

— C'est tout ce que vous saurez.

— C'est vous, Clean?

Je raccroche. Je tremble. Je sais que j'ai vraiment bousillé l'affaire. Je ne réfléchissais pas bien, je ne parlais pas bien. L'accent dérapait. Cette femme ne m'a sûrement pas cru.

Mais elle va en parler. Les flics ont appris hier qu'on était dans l'allée. Ils y étaient. Alors, ils vont vérifier. Ils pourraient même coffrer les flocs et trouver le cadavre de Becky. Quant à Jaz...

Voilà encore une chose à élucider. Mais pour ça, il faut que je redevienne invisible. Je dois laisser Blade derrière moi, Clean aussi.

Il faut que je devienne quelqu'un d'autre.

·I·I·I

Cette maison-ci est un peu différente. Ce n'est pas un de mes gîtos nocturnes. Je ne dors même pas ici. Pourquoi ? Parce qu'une famille y habite et qu'elle ne sort pas souvent — du moins, pas assez souvent pour que ce soit un endroit sûr où gîter pour une nuit.

Ils sont toute une bande, drôlement bruyante. Cinq garçons, le père et la mère. Je plains cette femme. Ils forment une bien jolie famille, mais ils sont tellement négligents. Ils laissent tout traîner, partout, et ne savent pas du tout comment empêcher les gens d'entrer — pas les gens comme moi, en tout cas.

C'est un de mes gîtos de jour. Je ne t'en ai encore jamais parlé. J'en ai des tonnes comme ça. Plus que des gîtos de nuit. C'est pratique, surtout quand je suis fatigué le jour et que j'ai besoin de me détendre quelques heures.

L'avantage avec cette famille, c'est qu'ils sont dehors la plupart du temps. Du lundi au vendredi, de neuf à cinq, il n'y a personne ici. Lui, c'est un gros bonnet du conseil municipal, et elle, elle est dentiste. Les garçons vont à l'école.

Entrer, c'est un jeu d'enfant. Ils ont un système d'alarme, mais ils n'ont fait installer des détecteurs que dans l'entrée, le salon et la chambre à coucher principale. Ils s'imaginent peut-être que c'est tout ce qu'il leur faut. Ils ont sûrement des objets de valeur dans ces pièces-là.

Mais ce n'est pas ce que je cherche. Je veux quelque chose d'autre, et c'est archi-facile à trouver. Un coup d'œil rapide par la fenêtre du garage pour être sûr qu'ils se sont tous absentés. Pas de problème. Les deux autos sont parties, tous les vélos aussi. Je sonne à la porte avant, juste au cas.

Pas de réponse.

Bon, voyons quelle fenêtre les garçons ont laissée ouverte, cette fois-ci. Il y en a toujours quelques-unes. Je contourne la maison.

Qu'est-ce que je te disais?

Une d'ouverte ici, une autre là. Juste un peu — ils s'imaginent peut-être que ça ne se voit pas. T'as pas idée à quel point certains noufs sont crétins.

Je regarde autour. C'est l'autre avantage, ici: pas de voisin qui a vue sur la maison, ni à l'avant ni à l'arrière. Mais vaut mieux m'assurer que personne ne viendra flairer.

Tout est dégagé.

Je prends l'échelle dans le hangar, je la pose contre le mur. Je vérifie encore, puis je monte. Cette pièce est partagée par les jumeaux. Des jeunes fêlés, des fans de football. Ils ont mon âge, mais on dirait deux nouilles. Encore une fois, je vérifie tout, puis j'entre à toute vitesse par la fenêtre et je la referme comme elle était.

Facile.

Pas un geste, écoute. Le silence, juste le tic-tac de l'horloge et le bruit de la circulation, de l'autre côté de l'impasse. Personne à la maison. À part moi.

Moi et ma douleur. Eh oui, elle est encore là. Je revois le visage de Paddy. Je l'avais, Gros-Yeux. Il était fini. Il était à moi. Pourquoi je ne l'ai pas tué ?

Il ne s'est pas échappé. Je l'ai laissé partir. J'ai tout bousillé.

Tic-tac, tic-tac, tic-tac.

Maudite horloge. Je veux la démolir.

Tic-tac, tic-tac, tic-tac.

Du calme. Parle-toi. Parle à voix haute.

« Bouge-toi les fesses. Fais ce que t'as à faire. »

Y en a tout plein de choses à faire, je n'ai pas de temps à perdre.

« Bouge-toi les fesses. »

« Va à la porte, vérifie le palier. » Tout est silencieux, à part la maudite horloge. Sur le palier, lentement, doucement, devant la chambre des aînés, devant les deux chambres suivantes, jusqu'en haut des marches. Attention, ici. Il y a un détecteur dans le couloir.

Il ne m'a jamais attrapé, et les marches sont si hautes que je pourrais probablement passer juste au bon endroit, mais je ne prends pas de risque. Je me baisse et je rampe. Je reste sous le niveau de la marche du haut.

Pas de problème.

Je me redresse. Voici la salle de bains. Attention, encore. La chambre principale est proche. D'habitude, la porte est fermée, mais ils l'ont laissée ouverte. Le détecteur, à l'intérieur, ne peut pas me trouver ici, mais je dois faire attention. Je ne pense pas aussi clairement que d'habitude. Je suis trop stressé. Il ne faut pas que je sois distrait et que je passe devant.

Ça tombe bien, c'est la salle de bains qu'il nous faut en premier, ou plutôt, ce qu'il y a dedans. Espérons que la maman n'a pas tout utilisé.

Pas d'inquiétude. Il lui en reste un lot. Regarde l'étagère : complètement bourrée. Elle en a même racheté depuis la dernière fois que je suis venu.

RÊVES D'AUTOMNE
Colorant permanent revitalisant, efficace en vingt minutes.

Rêves d'automne ? Qui a trouvé ça ? C'est de la teinture à cheveux, bon sang. Enfin, pourvu que ça soit efficace. Ricane pas, Gros-Yeux. J'ai jamais fait ça.

Colorant nourrissant aux riches reflets, pour un éclat qui ne se décolore pas.

III

Incroyable. Bon, allons-y.

Les ciseaux. Il y en avait deux paires ici, la dernière fois, une petite dans la pharmacie et une autre sur l'étagère.

Disparues.

Je regarde partout — rien.

Bof, je peux m'en passer. Je ne veux pas avoir à les chercher. Minute...

Derrière le gel douche — une autre paire. Des ciseaux crapoteux, mais ça ira. Bon, j'enlève le manteau, le chandail, la chemise, je me penche au-dessus de l'évier — OK, maintenant, les ciseaux...

Mais ils ne bougent pas. Car je ne bouge pas. Je ne fais rien. Je regarde, c'est tout. Je tiens les ciseaux, comme j'ai tenu le couteau devant le visage de Paddy pendant qu'il me regardait fixement, et je vois un autre visage en train de faire la même chose.

Il me regarde fixement.

Mon propre visage dans le miroir.

Et tu sais quoi, Gros-Yeux? Il a l'air encore plus effrayé que celui de Paddy. Et je vais te dire autre chose.

C'est comme regarder un visage que je n'ai jamais vu avant.

Ouais, je sais — je l'ai vu. Des centaines de fois, des milliers. Dans chacun de mes gîtos, il y a un miroir. Et chaque fois qu'il y a un miroir, j'examine ma gueule.

Il faut que je le fasse, je crois bien. Ça peut paraître fou, mais il faut que je le fasse. Pas parce que j'aime ma gueule.

Mais parce que j'ai peur d'avoir une sale gueule.

Elle ne l'est jamais. Ma gueule: ni belle, ni sale. Elle est juste futée. Elle est capable de ne pas montrer ce que je pense ou ce que je ressens. Elle a appris à le faire sans effort. J'aime bien ma gueule. C'est un pont-levis. Elle tient le monde à l'écart, elle me tient à l'écart.

Mais pas aujourd'hui. C'est ce qu'il y a d'effrayant. Car tu sais ce qui vient de se passer?

Ma gueule a disparu.

À la place, il y a juste moi. Moi qui me regarde fixement. Et maintenant, le moi dans le miroir est en train de devenir plus que juste moi. Il est en train de devenir d'autres gens aussi. Je vois Paddy, et Jaz, et les deux Becky, et Mary, et...

Et tous les autres.

Je ne veux pas leur parler, Gros-Yeux. Je ne veux pas les voir.

« Allez-vous-en, allez-vous-en ! »

Revoilà mon visage, comme avant. Les yeux, le nez, la bouche — exactement comme il était. Tout le reste a disparu. Tant mieux. Je regarde les ciseaux, j'en donne de petits coups en l'air.

Ils vont faire l'affaire. *Rêves d'automne* va faire l'affaire. Et moi aussi.

Je vais faire l'affaire.

·111

À quoi tu penses, Gros-Yeux ? J'en ai trop enlevé à l'arrière ? J'ai un peu peur que ce soit trop court. Mais admets que la couleur est bonne, non ?

Pas sûr que ça ressemble à des rêves d'automne. C'est brun-roux, d'après moi, tout comme les cheveux de la maman. Bon, on s'en fout, du nom. C'est différent, et c'est tout ce qui m'intéresse.

OK, prochaine étape.

Je reviens dans la chambre des jumeaux. C'est une famille qui fait mon affaire : ils n'utilisent pas la moitié de ce qu'ils ont — et ils ont des tonnes de choses, tu vois. Et comme tout est tellement en désordre, ils ne remarquent pas ce qui manque, et s'ils le remarquaient, ils croiraient sans doute l'avoir égaré.

Bon, Il nous faut un sac de plastique. Il y en a toujours des tonnes dans cette maison. Ils font des achats, au supermarché ou ailleurs, et ils laissent ensuite les sacs vides traîner partout. J'en ai vu un sous le lit, près de la fenêtre par laquelle je suis entré.

Tiens, justement. Parfait. Beau et grand. Mais minute, il y a quelque chose dedans.

Une revue de fesses.

C'est bien eux, ça. Il va falloir trouver un autre sac. C'est sûrement le genre de chose que les garçons n'oublieront pas, ils vont savoir que quelqu'un l'a prise. Ils vont probablement penser que la maman a fouillé et ça va les faire paniquer, mais mieux vaut ne pas laisser d'indices, même faux.

Regardons partout dans la chambre.

Aucun autre sac utilisable. Essayons la chambre de l'aîné. Il est toujours en train d'acheter des jeux et des trucs pour son ordinateur. Il devrait bien avoir quelque chose qui peut nous servir.

Bingo, plein de sacs. On prend le vert. De retour dans la salle de bains, je mets les cheveux coupés dans le sac, j'envoie dans la bonde les petits bouts qui restent, j'essuie le lavabo, je remets tout en place.

Bon, maintenant, les vêtements que Mary m'a donnés.

Ça me fait tout drôle de m'en débarrasser. Je ne sais pas pourquoi. Mais je pense encore à la vieille, à comment je l'ai laissée tomber. Mais il faut que je change de vêtements, comme j'ai dû changer de coiffure.

Ça ne va pas entrer dans le sac. Le manteau et le chandail, oui, et la chemise, tout juste. Pas de place pour le reste.

De retour dans la chambre de l'aîné, je prends un autre sac. Je suis tenté de lui chaparder une de ses vestes, pendant que j'y suis, mais elle est probablement trop grande pour moi et, de toute façon, il est plus ordonné que les autres, il remarquerait sa disparition.

Les jumeaux, eux, rien ne leur manquerait, à part la revue de fesses. Ils ont tout ça et tu sais quoi, Gros-Yeux? La plupart des choses sont telles qu'elles étaient la dernière fois, et la fois d'avant.

Pas parce qu'ils s'en servent et les remettent à leur place, mais parce qu'ils ne s'en servent pas. Ils n'y pensent même pas.

Me demande pas comment je le sais.

OK, je reviens dans la chambre des jumeaux. J'enlève le pantalon, les chaussettes, les souliers. Je les mets dans le deuxième sac. Bon, il faut choisir des vêtements différents de ceux que Mary m'a donnés, quelque chose de complètement différent.

Et il faut que ce soient des vêtements que les jumeaux n'ont pas portés depuis une éternité et qui ne leur manqueront pas.

J'ouvre la penderie. Regarde-moi ça, Gros-Yeux. Tu vois ce que je veux dire ? À quoi ça sert d'avoir tous ces vêtements si tu ne les portes pas ? Je te le dis, ils ne les portent pas. Quand je vois ces jeunes-là, dans le coin, ils sont soit en uniforme scolaire, soit en jogging.

C'est tout. Ils ne portent rien d'autre. Et je ne t'ai même pas montré ce qu'ils ont dans l'autre penderie et dans la commode. Mais c'est pas nécessaire. Il y en a assez ici.

Bon, allons-y. Chemise, pantalon, ceinture, chaussettes, souliers, chandail.

Facile, non ? Essayons-les.

Ils sont de ma taille, aussi. Mieux que les vêtements que Mary m'a donnés. Même les souliers ne serrent pas comme je le craignais. Il me faut seulement une ou deux affaires de plus.

Une veste à capuchon.

Rien de trop voyant. Il faut être banal pour ne pas attirer l'attention. Pas grand-chose ici. Essayons l'autre penderie. Ouais, ça va aller. Un anorak gris. Moche, mais de la bonne taille. Je le prends. Maintenant, la dernière chose.

Des lunettes.

Les deux garçons en portent, mais pas moi. Alors je ne pourrai pas les porter longtemps sans me bousiller les yeux. Mais elles pourraient me servir, des fois. Les garçons en ont des tonnes de paires de rechange dans leurs tiroirs.

Me demande pas pourquoi. Ils doivent garder leurs vieilles lunettes chaque fois qu'ils vont chez l'opticien pour en avoir des nouvelles. Tu vois ? Trois paires dans ce tiroir et deux dans celui-là.

Je vais toutes les essayer.

Cette paire va faire l'affaire. Je vois un peu flou, mais je peux toujours les descendre sur le bout de mon nez et regarder par-dessus. Je les prends, de toute façon. Je les fourre dans la poche de la veste, à côté du couteau.

Merde !

J'en ai froid dans le dos, Gros-Yeux. Je reste figé, comme si j'étais en glace. Car tu sais quoi ?

Je touche le couteau, mais je ne me rappelle pas l'avoir transféré.

Je ne me rappelle pas l'avoir sorti de la poche de mon vieux pantalon pour le mettre dans celle-ci. Ça paraît idiot. Je sais, oui. Idiot de m'en inquiéter, je veux dire. On ne se souvient pas de tout ce qu'on fait. On fait des choses sans s'en rendre compte. Pas grave.

C'est pas censé être grave.

Mais on dirait que ça l'est. Je ne sais pas pourquoi.

Je sors le couteau, je le sens, je l'examine. Je ne le déplie pas. Je me contente de le tenir, de le regarder. Tout à coup, c'est comme si je voulais ouvrir toute grande la fenêtre et lancer le foutu couteau dans le jardin, le lancer aussi loin que possible.

Mais ce ne serait pas assez loin. Tu sais pourquoi? Parce que peu importe où je le lance, il va me retrouver. Il me retrouve toujours. Me demande pas comment je sais.

Je serre le couteau, je le remets dans ma poche. Tout à coup, je suis content de ne pas l'avoir jeté. Parce que j'ai encore à l'utiliser. Si je me remets le cerveau en place, je pourrai faire ce que j'aurais dû hier soir.

Je pourrai tuer Paddy.

Parce qu'il le faut. C'est vrai, pas seulement pour Becky, mais pour moi. Il faut encore que je fasse mes preuves. Je ne peux pas me permettre d'être faible, la prochaine fois. Il faut que je fasse mes preuves. Si seulement je peux en avoir le courage.

Le courage.

Un bien petit mot pour une si grande chose. Un peu comme la peur. Un autre petit mot, une autre grande chose. Tu sais quoi, Gros-Yeux ? Ça me porte à réfléchir.

À me demander si j'oserai faire ce que je veux faire, ce que je veux vraiment — ce que je veux toujours faire, surtout si j'ai peur. Le problème, c'est d'en avoir le courage.

Car pour faire ça, ce que j'ai vraiment envie de faire, il faut que je passe devant la chambre principale, devant la porte ouverte, devant le détecteur.

Ouais, je sais. C'est une idée merdique.

C'est tellement risqué que je serais nouille d'essayer. J'ai déjà ce que je suis venu chercher. Il est temps de partir, pas de rêvasser.

Mais je m'avance déjà sur le palier. Je ne peux pas m'en empêcher, Gros-Yeux. Je passe devant la chambre de l'aîné, devant les deux suivantes, devant la salle de bains, et je suis devant la porte ouverte de la chambre principale, et plus loin, au bout...

Le bureau.

La porte est ouverte, aussi. D'ici, je vois à l'intérieur. Je vois les livres sur les étagères. On dirait des bijoux. Je ne les ai pas tous lus. Mais j'ai ouvert chacun d'eux. Je les connais à ma façon, comme je connais tous les livres de tous les gîtos où je vais.

À ma façon.

J'admire le trésor, Gros-Yeux. Les bijoux qui luisent dans ma direction. Je peux voir d'ici *Sherlock Holmes, David Copperfield* et *Jane Eyre*, et ce livre sur les Andes avec la photo des condors, et le *Tao Te King, Le journal de Samuel Pepys* et *Hirondelles et amazones.*

Hirondelles et amazones.

J'adore ce livre. Il ne me lâche pas. La couverture, le titre au dos, l'image en dessous, le nom de l'auteur en majuscules: ARTHUR RANSOME.

Il devait être calé, ce floc. Son livre est tellement bon que, dès que je vois la couverture, je suis sur le lac avec John, Susan, Nancy et tous les autres personnages. Mais ce n'est pas assez, pas maintenant. Je ne veux pas me contenter de voir la couverture.

Je veux le lire. Tellement que j'en perds la boule.

Je déteste l'eau. J'en ai peur: elle est étendue, elle bouge et je ne la contrôle pas. Je ne veux même pas apprendre à nager. Je veux seulement l'éviter. Mais quand je lis *Hirondelles et amazones*, on dirait que je fais de la voile et que je nage en lisant. C'est génial.

Et je veux lire ce livre, maintenant. Je veux oublier tout ce qui se passe, pendant un moment. Je veux plonger dans l'histoire, naviguer et nager, ne pas avoir peur. Ça en vaut le coup. Le détecteur ne m'aura pas si je fais ça rapidement.

J'attends, je prends mon courage à deux mains, j'étudie l'ouverture... et je saute.

L'alarme hurle aussitôt.

111

Cave ! Maudit cave ! À quoi j'ai pensé ?

Je retourne à la chambre des jumeaux, je prends les deux sacs, j'ouvre la fenêtre. Aucun signe de vie en bas, mais il va bien arriver quelqu'un pour vérifier la maison. Je sors par la fenêtre, la referme comme avant, descends l'échelle, regarde autour.

Encore personne. Puis, une voix.

— Y a quelqu'un ?

À l'entrée de la maison, c'est un type qui crie. Un vieux qui s'énerve. À cause de l'alarme qui s'est déclenchée. Il n'est pas encore apparu — j'ai peut-être des chances de me sauver sans être vu si je fais vite.

Je balance l'échelle dans le hangar, je me glisse derrière pour ne pas être vu, je regarde en cachette.

Un vieux floc est debout près de la barrière. Il avance comme s'il allait crouler et il ne sait vraiment pas s'il devrait contourner la maison. Il ne m'a pas encore vu, mais si je bouge, il me verra.

Il faut que j'attende. Il faut que je reste sans rien faire.

Mais je ne peux pas rester longtemps sans rien faire. Il faut que je décampe. Si d'autres noufs arrivent, je suis dans la merde.

Il avance, à pas prudents, en regardant partout autour de lui. Il a l'air d'avoir peur, il n'a pas l'air trop sûr de ce qu'il fait. Je lui murmure :

— Va-t'en, Croulant. T'as rien à faire ici.

Mais il continue d'avancer. Je reste sans bouger, je continue de guetter.

Il s'est arrêté au bord de la maison et il jette des coups d'œil par-ci par-là. De toute évidence, il est myope, mais il vérifie les alentours, le jardin, la maison.

— Décampe, Croulant.

L'alarme hurle toujours. Elle est démente. Je me sens débile. Je ne peux pas croire que j'ai été aussi bête. Je n'aurais jamais dû prendre un risque pareil. J'aurais dû laisser les livres où ils étaient et décamper, alors que j'en avais l'occasion.

Un autre embêtement : la voix d'un autre homme me parvient de l'avant de la maison.

— Jim ? T'es là ?

En plein ce qu'il me fallait, merde. Croulant s'est retourné.

— Je suis dans le jardin, en arrière !

L'autre floc apparaît. La trentaine, costaud. L'allure d'un manuel. Il va trouver Croulant et les deux examinent l'arrière de la maison. Et maintenant, une troisième voix.

— Jim ?

Une femme, cette fois. Elle arrive à la barrière avant qu'ils puissent répondre. Elle a peut-être le même âge que Costaud. Elle tient un portable.

— Ici ! crie Croulant.

Elle se pointe et les rejoint dans le jardin.

— Des problèmes ? dit-elle.

— J'vois rien, dit Costaud.

— Alors, détale, je murmure. Détale, merde.

Ils ne détalent pas. Ils s'étalent, Croulant vers le fond du jardin, la femme vers les portes-fenêtres, Costaud vers le hangar.

Ça va mal, Gros-Yeux. Je suis encore invisible, mais s'il s'approche de moi, je suis cuit. Puis, la femme crie :

— Là !

Mais elle ne se tourne pas dans ma direction. Elle regarde en l'air, montre du doigt la fenêtre de la chambre des jumeaux. Costaud s'arrête et se retourne.

— La fenêtre est entrouverte, dit-elle.

Les deux flocs lèvent les yeux.

— Elle était peut-être comme ça avant, dit Croulant. Tu connais les garçons.

— Il y a des traces dans l'herbe, remarque la femme.

Elle se penche au-dessus.

— On dirait que quelqu'un a utilisé l'échelle.

Croulant s'avance et examine le sol.

— On ne sait pas vraiment si c'est les pieds de l'échelle.

Il se tourne à nouveau vers moi.

— Je vais appeler M. Braden, dit la femme. J'ai son numéro au travail.

— Ensuite, la police, dit Croulant.

— Je vais vérifier l'échelle, dit Costaud avant de se rapprocher encore.

Je me tends. Si je reste où je suis, il va me voir dès qu'il arrivera à la porte. Si je bouge de côté pour l'éviter, je vais me mettre dans le champ de vision des deux autres.

Mais maintenant, d'autres cris viennent de l'avant.

Des voix d'hommes.

— Tout va bien, à l'arrière?

— Avez-vous besoin d'aide?

Aucun signe de vie à la barrière, mais Costaud s'est arrêté à quelques centimètres de la porte. Il s'est retourné pour regarder derrière lui, comme les autres. C'est ma chance, pendant qu'ils sont tournés dans l'autre direction.

Je lance les sacs par-dessus la clôture, dans le jardin voisin, puis me jette derrière eux. J'essaie de sauter comme si j'avais une perche, mais la clôture est trop haute et je dois y aller en m'aidant des pieds et des mains. Ils m'entendent et se retournent.

Tous, y compris les deux nouveaux flocs qui sortent de la ruelle. Il y en a un qui crie :

— Par là !

Je me laisse tomber dans l'autre jardin, prends les sacs et file comme une balle à travers la pelouse. Une grande pelouse avec des pommiers sur les côtés et un étang au milieu. La maison est loin, et ça vaut mieux. J'espère que personne là-dedans n'a entendu les cris, même si le bruit de l'alarme a attiré leur attention.

Encore aucun signe de vie aux fenêtres, mais je vérifie bien tout en courant à fond de train.

Je ne regarde pas du tout derrière moi. J'ai tout de suite mis le capuchon sur ma tête et je file le plus vite possible. Mais pas assez vite.

— Il est là ! crie quelqu'un derrière moi.

Maintenant, il y a un visage à une des fenêtres du haut.

Une vieille boulue me regarde d'un air inquiet. Elle paraît effrayée. Elle tient un téléphone et est en train de composer un numéro. Un jeune homme apparaît à côté d'elle, puis un autre, puis un garçon.

Ils disparaissent alors que je décampe en longeant le côté de la maison. J'entends des cris de l'intérieur.

— Je vais lui barrer la route en avant !

C'est un des gars, mais je ne m'arrête pas pour réfléchir. J'arrive à l'avant de la maison. Personne, mais j'entends des pas lourds dans l'escalier. Un vélo de montagne est appuyé à côté de la porte avant. Ça doit être celui du garçon.

— Merci, mon vieux.

J'accroche les sacs au guidon, je sors le vélo en le poussant par la barrière ouverte. La porte avant s'ouvre d'un coup et les deux gars fulminent.

— Hé !

Mais je pédale déjà comme un forcené.

J'entends d'autres cris derrière moi, certains viennent des flocs qui sont dans l'entrée, d'autres de Costaud. Il a fait le tour en courant jusqu'au croisement de la ruelle et de la rue. J'entends des cris de chaque côté, et des portes et des fenêtres qui s'ouvrent à droite et à gauche.

Le bruit d'une auto qui démarre derrière moi.

Il faut que je sorte de la rue.

Une autre auto démarre.

Je regarde autour. Je connais l'endroit. Juste devant moi, une ruelle longe le terrain de jeux des enfants. Je prends de la vitesse. Derrière moi, un bruit d'accélération. Ils seront là dans un moment, mais j'arrive au terrain de Jeux, puis à la ruelle.

Une jeune femme est dans mon chemin, penchée sur une petite fille. Une jolie petite, de l'âge de Jaz. La mère est en train de lui ajuster son manteau. J'entends les autos qui se rapprochent. Je hurle :

— Tassez-vous !

La mère lève les yeux, horrifiée, le regard fixe.

Le bruit des moteurs devient plus fort.

— Écartez-vous !

Elle pousse l'enfant sur le côté. Je sors de la rue à toute vitesse et j'entre dans la ruelle.

Derrière moi, j'entends des crissements de pneus, des portières qui claquent, puis les cris des hommes, les cris de la femme, qui brûlent comme la haine dans ma tête.

Je continue de pédaler sans me retourner.

·I·I·I

Deux minutes plus tard, j'arrive au bout de la ruelle et je dévale Westbury Drive. Personne ne me suit, mais je ne peux pas rester ici. Tous ceux qui savent où mène la ruelle peuvent me repérer. Il faut que je sorte de la rue, vite.

Mais pas tout de suite. Je ne peux foncer nulle part ici. Il faut que je me rende jusqu'à Merton Crescent, que je prenne le sentier vers les jardins communautaires et que je me débarrasse des sacs de vêtements. Après, je sais quoi faire.

Pas de compromis.

Rien n'a changé, Gros-Yeux. Même si je suis confus et que je fais des erreurs, je suis encore attaché à Bex et à Jaz. Je suis encore furieux contre Paddy.

Tiens, Merton Crescent.

Tout va bien, jusqu'ici. Aucun signe de poursuite, personne ne me regarde bizarrement. Je me rends jusqu'au fond, en marchant à côté du vélo, et je prends par l'échappée qui mène au sentier.

Il faut que je fasse attention, maintenant. Il faut que je m'évapore dans la nature sans attirer l'attention. L'anorak, c'est un problème. Comme j'ai encore le capuchon remonté, personne n'a vraiment vu mon visage et mes cheveux, mais Costaud ou Croulant vont sûrement signaler la veste.

Alors, il faut que je règle ça.

J'appuie le vélo contre le mur, je regarde autour. Tout est tranquille sur le sentier.

Je cours jusqu'à la brèche, je regarde longtemps dans Merton Crescent. Une petite rue presque endormie, mais je me méfie des fenêtres. Elles sont trop attentives.

Revenu au vélo, je le pousse sur le sentier, j'arrête encore. Je regarde à gauche, à droite. Personne en vue. Je regarde par-dessus les murs. Des jardins de chaque côté, personne dedans.

La maison sur ma gauche paraît vide. Fenêtres fermées, pas de lumières, pas de bruit. Elle me semble plutôt sûre. La porte arrière de l'autre est ouverte. Je prends les sacs de plastique, j'appuie le vélo contre le mur, je regarde encore autour.

Ça va, on dirait.

Je saute le mur, j'arrive dans le premier jardin, je longe la maison, j'ouvre la poubelle. Ça ne pourrait pas être mieux: à moitié pleine, surtout des sacs-poubelle. J'enlève l'anorak, je sors les lunettes et le couteau.

Et le *feeling* me revient.

Merde, Gros-Yeux, est-ce que je vais l'avoir chaque fois que je touche à un couteau? Ça ne m'arrivait pas, avant. Ce que je viens de faire m'a donné un grand coup. Je frissonne et je vois Paddy qui bafouille dans le noir.

Je ne veux pas voir le visage de ce salaud. Et s'il faut que je le voie, je ne veux pas le voir comme il était hier soir. Je veux le voir comme il va être quand j'en aurai fini avec lui.

Un visage mort, un visage lacéré. Parce que, crois-le ou non, Gros-Yeux, c'est comme ça qu'il sera. Si seulement je pouvais le zapper.

Je glisse le couteau dans ma poche de pantalon, je sors des sacs-poubelle pleins, je regarde encore autour. Aucun bruit venant de la maison, personne ne regarde. Je laisse tomber la veste et les sacs de plastique dans la poubelle, au fond, je replace les sacs-poubelle par-dessus.

Parfait. C'est exactement comme c'était.

Je ferme le couvercle, je mets les lunettes, je les descends sur le bout de mon nez pour regarder par-dessus. Je reviens sur le sentier, je pousse le vélo vers les jardins communautaires.

Je sais ce que tu penses, Gros-Yeux. Tu te demandes pourquoi je garde le vélo alors qu'ils l'ont vu aussi ? Eh ben, tu peux continuer de réfléchir. Je n'ai pas à tout t'expliquer.

Allez, arrête de te poser la question. Je vais te le dire.

J'ai besoin du vélo un peu plus longtemps, OK ? C'est risqué, je sais, mais j'ai une bonne distance à parcourir, et le temps presse. Il va falloir qu'on dépasse les jardins, mais quand ils seront derrière nous, je pourrai rouler. Et si je m'en tiens aux rues tranquilles, ça devrait bien aller.

Déjà les jardins, tu vois? Beaux et vides, sauf un vieux floc au fond, et c'est juste un beignet. Encore là, il faut que je surveille bien. Je continue de marcher, je regarde autour. Rien à signaler, mais je me sens nerveux.

Le vélo émet un bruit, une sorte de cliquetis. Une brindille est coincée dans les rayons. Je me penche, je la retire, je me redresse, je vois deux silhouettes devant.

Des flocs.

Ils sont d'âge moyen et ce sont probablement des beignets, mais je les regarde bien. Ils s'en viennent. Je pousse le vélo, pas trop vite, pas trop lentement. Ils me dévisagent. Je sais ce qui s'en vient. Un des deux va me demander pourquoi je ne suis pas à l'école.

Mais je me trompe.

Ils passent sans rien dire.

Reprendre le sentier jusqu'à Cutnall. Je remonte sur le vélo et je file jusqu'à la rue principale, puis plus loin, dans les allées qui mènent aux banlieues est.

Il fait plus froid, il va me falloir une veste. Le ciel est plus sombre, aussi. Il va encore pleuvoir. Je prends de la vitesse. Il faut que j'arrive avant que ça tombe.

Mais ça crache déjà.

Le lotissement Cliffsea. Je passe devant les boutiques de Langdon Drive, puis je prends la piste qui longe le terrain de football. Au bout, je m'arrête près des buissons, je regarde autour.

Aucun signe de vie. Je regarde encore autour, je regarde bien. Tout est beau.

Je traîne le vélo dans les buissons.

Je le pousse du pied, sous le feuillage, et je recule. Il est bien enfoui. On ne le voit pas du tout du chemin. Il faudrait marcher jusqu'aux buissons et encore là, on pourrait le manquer.

Je dois partir. La pluie devient plus intense. Heureusement, on n'a pas à aller loin. On franchit la barrière et on prend à gauche par la ruelle vers Marsh View — ça veut dire : vue sur le marais.

Me demande pas pourquoi. Il n'y a rien qui ressemble à un marais ici. Mais le nom convient à ces pâtés de maisons puants.

Parce que c'est ça. Tu vois ? L'édifice crapoteux s'appelle Marsh View.

Et je vais te dire autre chose, Gros-Yeux.

C'est là qu'on allait, hier soir. L'immeuble dont je ne voulais pas parler à Bex. Tu te demandais probablement pourquoi, toi aussi.

Eh ben, j'avais un plan. Une sorte de plan.

Je pourrais encore m'en servir pour moi, si je voulais. Pour me sauver, je veux dire. Mais on sait tous les deux que je ne le ferai pas. Comme ce plan est fichu, je vais l'utiliser pour autre chose.

OK, continue. Il faut qu'on soit hyper prudents, maintenant. Il faut y aller à petits pas, marcher discrètement, rester invisibles. Il vaut mieux que personne ne nous voie aller et venir. S'ils nous voient, il vaut mieux qu'ils ne se souviennent pas de nous. Alors, attention. C'est un lotissement bizarre. Surtout des gens endormis, mais des noufs indiscrets, aussi.

On approche. Continue de marcher, la tête basse, lentement mais sûrement, d'un pas détendu. Regarde à gauche et à droite. Tant mieux s'il pleut. Personne dehors, à part, sur l'autre trottoir, deux femmes pressées.

Je ne peux plus porter ces lunettes. Ça me prend la tête, surtout qu'elles sont pleines de gouttes. Je les jette dans la poubelle, je continue de marcher, lentement mais sûrement, à mon aise. On est arrivés.

Marsh End.

Qu'est-ce que je te disais, Gros-Yeux? Crapoteux ou pas? Faut être zombie pour vivre dans un endroit pareil. Heureusement pour nous, il y a un gars qui l'est. Mais on n'est pas venus voir son logement.

On est ici pour lui piquer son auto.

///

Peu importe comment je vais faire. Tais-toi et continue de regarder.

OK, on fait le tour de la maison, on longe la rangée de garages. C'est le dernier. Il devrait être déverrouillé, à moins que le vieux se soit débrouillé pour réparer la porte, mais ça m'étonnerait. Ce floc n'est vraiment pas organisé.

Reste discret. On ne peut pas se relâcher uniquement parce qu'il pleut et qu'il n'y a personne dehors. Des fenêtres donnent sur ces garages. Tu les vois ? Des noufs vivent là, des noufs qui voient et qui jacassent.

J'espère seulement que personne ne regarde. Je n'en vois pas, mais on ne va pas traîner. Bon, voici le dernier garage. Vérifie la porte. Qu'est-ce que ça dit ?

Déverrouillée.

Tu sais pourquoi ? Parce qu'il y a deux ans, j'ai injecté un peu de supercolle dans le mécanisme. Pas assez pour que ça se remarque — il n'aurait pas remarqué, de toute façon —, mais assez pour bousiller la serrure. La porte ferme bien, mais elle ne se verrouille pas. Il ne s'est pas encore donné la peine de la réparer.

Pas que je vienne ici souvent. J'utilise seulement le garage si mes gîtos habituels ne sont pas vacants et que je cherche désespérément un endroit où dormir. J'entre ici et je dors dans l'auto. C'est plus chaud et plus confortable que de dormir à la dure dans la rue avec les autres zozos. Plus facile, aussi.

Parce qu'il ne verrouille jamais l'auto, non plus.

Ouvre la porte du garage, entre en vitesse, referme-la. C'est bon d'être à l'abri de la pluie, encore caché. Touche pas au commutateur, Gros-Yeux. Faut pas qu'on nous voie. De toute façon, j'aime la noirceur. J'en ai besoin, maintenant. Et je vois assez bien.

Regarde l'auto.

Une horreur, non? Pas tout à fait un tacot, mais donne-lui encore quelques mois. L'essentiel, c'est qu'elle fait l'affaire. Elle est vieille, elle n'a pas d'antivol, et elle a l'air encore juste assez réglo pour que les flics nous fichent la paix, espérons-le.

Le floc l'utilise rarement. Comment je le sais? Parce que je vérifie le kilométrage chaque fois que je viens. Et tu sais quoi?

Elle n'a pas roulé plus d'une quinzaine de kilomètres en un an. C'est ça: quinze kilomètres. J'ai noté. Ça fait un bail que la jauge d'essence indique les trois quarts.

Il y a deux ans, il la conduisait un peu plus souvent. Pas loin — juste des petits trajets —, mais assez pour accumuler des kilomètres. Cette année, c'est différent. Il y a à peine touché. Il m'a fallu un bon moment pour découvrir pourquoi.

Il s'est estropié.

C'est un vieux floc qui vit seul. Il habite au rez-de-chaussée, et il ne sort pas beaucoup. Il ne peut pas. En fait, il ne devrait pas avoir d'auto. Il ne pourra plus conduire de façon sécuritaire. Il le sait probablement, mais il la garde quand même, comme un tas de vieux flocs s'accrochent à leurs choses.

Et ça me va très bien.

Si lui ne peut pas utiliser l'auto, moi, je peux.

Je ne l'ai jamais conduite. Je l'ai juste utilisée comme gîtos. Les sièges confortables et la chaleur, ça me suffisait. Mais maintenant, il est temps de la libérer. OK, ouvre la portière. Ça ne devrait pas être un problème. Comme je te disais, elle n'est jamais verrouillée.

Merde, je ne peux pas le croire. Elle ne veut pas s'ouvrir. Essaie l'autre portière.

Verrouillée, elle aussi.

Qu'est-ce qui se passe? Il a dû venir ici pour quelque chose — pas pour conduire, c'est sûr — et il a verrouillé l'auto en sortant.

Peu importe, ça peut s'arranger. Il y a tout ce qu'il nous faut, dans ce petit repaire. Suffit qu'on le trouve dans le noir. Regarde dans le coin opposé. C'est là qu'il garde ses outils, tout ça. Ça fait un peu dépotoir, mais tout est là.

Un bout de fil de fer, c'est ce qu'il nous faut.

Celui-ci est trop long. Regarde. Il y avait des pinces ici, la dernière fois. Tiens. Bon, coupe le fil, plie-le.

Parfait.

La portière du côté conducteur, tire le caoutchouc qui entoure la fenêtre, insère le fil. Entre donc, crétin. Ça y est. Pousse-le, cherche le loquet.

C'est débile, Gros-Yeux. Je perds la main. Je devrais déjà me trouver dans l'auto. Mais j'ai pas fait ça depuis un moment. Quand je faisais le mort et que je restais discret, je m'efforçais seulement d'échapper aux radars.

Alors, je manque de pratique.

Clic!

Ça y est. Ouvre la portière. Maintenant, les outils. On cherche un tournevis — de la bonne sorte. Celui-là va aller. Saute dans l'auto. Ça pue, hein? Qu'est-ce que c'est, sous le siège?

Un bonnet de laine.

C'était pas ici la dernière fois. Et la lampe de poche a disparu. Il la rangeait sous le tableau de bord. C'est peut-être pour ça qu'il est venu dans l'auto. Il s'est penché, a pris la lampe, a laissé tomber son bonnet en même temps, puis il a verrouillé les portières et il est parti.

Peu importe.

J'ai besoin du bonnet, de toute façon. Ouais, je sais. Il est crapoteux, mais je dois continuer de changer de look. Et ça me donne une autre idée.

Il avait aussi l'habitude de garder un vieux manteau dans le garage.

Il est là, accroché à un clou, près de la porte.

Sors vite, mets-le. Il est un peu couvert de toiles d'araignée, mais il est chaud et surtout, il est démodé. Il a un capuchon, aussi. C'est encore mieux. Ça ne peut pas faire de tort. OK, Gros-Yeux, c'est tout. Il faut démarrer. Mais on va garder la porte fermée jusqu'à la dernière minute. Bon, le tournevis...

Enfonce-le sous le boîtier de plastique qui entoure la colonne de direction. Facile. Elle est molle, de toute façon. J'adore ces vieilles bagnoles. Tlre. Encore le tournevis. Il faut qu'on enlève le contact en faisant levier.

Il ne veut pas sortir. Bouge, taré ! Sors de là !

Et voilà : un beau petit contact.

Maintenant, la tâche difficile. Il faut donner un coup sec au volant pour casser la serrure de blocage. Normalement, c'est une étape que j'aime. Ça me fait tout chaud. Je ne sais pas pourquoi.

Mais là, c'est différent.

C'est peut-être à cause du floc. Je ne lui ai jamais parlé. Il ne sait même pas que j'existe. Mais c'est comme pour la plupart des flocs que je surveille. J'ai l'impression de le connaître. D'autres, je m'en fous. Je me sers de leur gîtos, je mange leur bouffe, je lis leurs bouquins.

Mais ce vieux-là... il a l'air gentil. Un peu fêlé, mais il ne fait de mal à personne. Je m'en veux un peu de lui voler sa bagnole. Mais d'un autre côté, il n'en a plus besoin.

Moi, j'en ai besoin. Au diable les sentiments.

Donne un coup, encore, encore. Après ça, ça va être bon pour la ferraille, Gros-Yeux. Ça veut pas lâcher. Donne un autre coup, encore, encore. Ça veut pas, ça veut pas.

CRAC!

Merveilleux!

Sors de l'auto, ouvre la porte du garage. La pluie est plus drue qu'avant. Ça me va. Regarde autour. Personne dehors, personne ne regarde, d'après ce que je peux voir. Mais même s'il y a quelqu'un, on s'en va.

Reviens à l'auto, saute, pousse le tournevis dans l'allumage. C'est parfaitement ajusté. On dirait qu'ils sont faits l'un pour l'autre. Retiens ton souffle, Gros-Yeux. C'est le moment. Ça devrait marcher. Ça marche habituellement. L'étrangleur, le tournevis et...

Le moteur rugit.

Appuie, donne-lui une minute, enfonce un peu l'étrangleur. Marche arrière — je crois qu'il faut pousser vers le bas et vers la droite. Ça y est. Le frein manuel dégagé, la pédale d'embrayage aussi, Elle est trépidante, celle-là, c'est une vieille tête de mule. Mais elle bouge, lentement, et on sort du garage.

La pluie a déjà éclaboussé la lunette arrière. Je n'ai pas le temps d'actionner l'essuie-glace. Il y a bien assez de place pour reculer. Mais ça tombe en écume, maintenant.

On est dehors. Je regarde autour. Personne en vue.

Je sors d'un bond, je ferme la porte du garage, je reviens à l'auto. Je cherche à tâtons la commande des essuie-glaces. Je l'ai trouvée. On a le champ libre. Et encore personne en vue.

Allez, Gros-Yeux. On a des choses à faire.

111

Elle roule très bien. Du mou dans l'embrayage, mais suffit de le savoir. J'aimerais pouvoir y aller à fond de train, faire un peu de ravage. Je me sentirais peut-être mieux.

Mais c'est trop risqué. Pas question de faire une virée dans une voiture volée. C'est pas pour s'amuser. Respecte la limite permise, conduis comme il faut, pas de gaffe. On ne veut pas attirer l'attention. C'est là que la pluie nous est utile. Difficile de voir à l'extérieur comme à l'intérieur, et personne ne s'intéresse tellement à nous, de toute façon.

On sort du lotissement et on roule sur Strickland Lane. Je sais ce que tu te dis. Tu te demandes pourquoi on se dirige vers la voie d'évitement plutôt que vers la ville ? Eh ben, tant pis. Bouge-toi les méninges, fais-toi péter le cerveau. Tu finiras par trouver. J'ai d'autres choses à régler.

Ah, si je pouvais allumer la radio.

Je ne l'ai jamais utilisée. Je n'ai jamais voulu prendre le risque de faire du bruit dans le garage. J'espère seulement qu'elle fonctionne. Le cadran marque presque treize heures: on devrait avoir les infos sur une chaîne locale.

« Les nouvelles de treize heures. »

Bingo.

« La police recherche encore un garçon d'environ quatorze ans, surnommé Clean, et une jeune fille de seize ans, identifiée comme étant Rebecca Jakes, en relation avec le meurtre de l'adolescente Trixl Kenton. »

Ils n'ont pas trouvé le corps de Bex. Merde, Gros-Yeux, il est encore au fond d'un fossé.

« L'affaire a connu de nouveaux développements aujourd'hui. À la suite d'un incident survenu aux petites heures, la police enquête présentement sur une camionnette abandonnée, bien qu'elle n'ait pas confirmé si celle-ci a ou non un lien avec les deux fugitifs. Par ailleurs, ce matin, un garçon vêtu d'un anorak gris a été vu alors qu'il s'enfuyait d'une résidence privée, dans le secteur Hamforth. La police se dit fort impatiente de le retracer, sans toutefois confirmer qu'il s'agisse d'un des témoins du meurtre. »

Pas un mot sur Jaz.

Tu sais ce que ça veut dire, Gros-Yeux? Ça veut dire que Paddy et les autres flocs sont encore en liberté. En fait, c'est peut-être ce que je voulais, plus ou moins. Pas le grom et les autres fumiers. J'aurais bien aimé qu'ils se fassent coffrer.

Mais Paddy... je le veux à moi tout seul. Je veux une deuxième chance. Et cette fois, je ne vais pas le rater.

À gauche, vers la route, puis à droite, sur Southlands Avenue. La radio joue encore. Ça parle d'autre chose. J'essaie de réfléchir, de rester calme.

C'est difficile. Ça m'a irrité de nouveau d'entendre tout ça. Je me pose des questions sur Bex. J'imagine son corps sous la pluie et je n'aime pas ça.

Et Jaz.

Je continue de penser à elle aussi.

J'éteins la radio. Je ne veux plus l'entendre. Il faut que je me concentre, que j'arrête ce qui tourne dans ma tête. Il faut que je pense à ce que je fais, sinon je m'embourbe. J'arrive au bout de Southlands Avenue, et voici un autre trou dans mon cœur.

Le carrefour de Britannia Road.

Si je prends à droite, je sors de la ville. Sept ou huit kilomètres, et je suis sur l'autoroute, loin d'ici. Le réservoir est plein. Je pourrais parcourir une bonne distance avant de me débarrasser de l'auto. Mais ce n'est pas bien.

On est déjà passés par là, Gros-Yeux. On sait tous les deux que je ne le ferai pas.

Je tourne à gauche. Fais ce que t'as à faire. On prend cette rue, on contourne le rond-point, et maintenant, ça devient intéressant. Car c'est là que je vais te passer la cervelle au malaxeur, Gros-Yeux. Tu commençais à te dire que tu en connaissais un rayon sur moi, non?

Secoue pas la tête. C'est ce que tu te disais. Bon, prépare-toi à une surprise.

Plus loin, après l'école, après les boutiques, à gauche, au bout. Tu vois l'allée? Elle mène à la campagne. Sur deux ou trois kilomètres, elle traverse des champs, entre autres, et elle aboutit à un petit ruisseau.

Un coin perdu.

C'est là qu'on s'en va.

Ouais, je sais. J'ai peur de l'eau. OK, une phobie. Je l'avoue. Ça ne me fait rien de prendre une douche ou un bain dans un gîtos, parce que je suis aux commandes. J'ouvre le robinet et je le referme. Un fleuve, c'est différent, parce que c'est grand, comme aux quais. Même chose pour un lac. Je me tiens loin de ça. Et je ne veux même pas penser à la mer.

Mais ce ruisseau n'est pas chiant, premièrement parce qu'il n'est pas si profond, et deuxièmement, parce qu'on ne va pas sur l'eau, ni dedans. En fait, pas vraiment, pas au point où ce serait un problème. Allez, je vais te montrer.

On prend l'allée, lentement, doucement. Rien de trop brusque. Pas tellement que ce soit risqué. Personne ne vient ici. C'est pour ça que j'ai choisi cet endroit. Et la pluie va éloigner tous les pêcheurs purs et durs.

J'espère.

Je me suis fait prendre une fois. Un gars avec de longues bottes de caoutchouc, il ne voulait pas bouger. J'ai dû attendre des heures avant qu'il décampe. C'est pour ça que, normalement, je viens ici le soir.

J'ai besoin de l'endroit pour moi tout seul. Absolument.

Continue, lentement. Cette tête de mule de bagnole vibre encore. Elle n'aime pas rouler en basse vitesse. Comme je dis, je viens habituellement ici le soir. Et sans conduire. Je pique un vélo et je roule. Mais pas jusqu'au bout.

Tu vois la clôture, devant ? À gauche, où le mur de pierres est un peu affaissé ? Juste un peu plus loin, un saule, puis des buissons de l'autre côté du mur. Tu vas les voir dans un moment.

Et voilà. Tu vois ?

Je passe le vélo par-dessus le mur, je le cache parmi les buissons, et je fais le reste du trajet à pied. C'est pour ça qu'on arrête l'auto. Coupe le moteur, sors. La pluie s'est calmée. Juste à temps.

C'est ça, Gros-Yeux, on fait le reste à pied. Fais pas cet air-là. On marche.

Aucun rapport avec l'auto. Aucun rapport avec quoi que ce soit. Juste un garçon qui marche dans une allée et qui espère que personne ne le voie.

On y va.

Dans l'allée, aussi lentement qu'avant, lentement et calmement. Un ciel sombre et tourbillonnant, des nuages de pluie, mais au sec pour l'instant. Espérons que ça reste comme ça un peu plus longtemps. On n'a pas besoin de beaucoup de temps. Mais une éclaircie, ce serait sacrément bien.

La dernière partie de l'allée. Elle serpente devant nous, tu vois? Encore quelques mètres et tu entendras le ruisseau. C'est un beau son, surtout le soir, sous la lune, et parfois sous les étoiles, et que tout est calme. Je ne viens pas souvent ici, mais quand je viens, j'aime entendre le ruisseau.

Son eau me fait moins peur. Mais pas tellement moins. Suis la courbe vers la droite. Écoute...

Tu entends? OK, un peu plus loin — écoute bien...

C'est ça. Un son doux, qui dégouline. D'habitude, c'est un peu plus fort. C'est peut-être la brise qui l'adoucit. Vas-y, et reste aux aguets. On est probablement seuls, mais il faut surveiller. Et rappelle-toi ce que j'ai dit.

Je vais te passer la cervelle au malaxeur.

Tu vas avoir le souffle coupé.

Tiens, voilà le ruisseau. C'est joli, non, pour de l'eau? Marche jusqu'au bout de l'allée, tourne à droite, le long de la rive. Continue de regarder autour.

Tout paraît beau, comme d'habitude. Je préfère venir le soir, mais on ne peut pas se payer ce luxe-là aujourd'hui. Il faut que ce soit maintenant.

OK, on est presque rendus. Tu vois le pont étroit, devant? Il est minuscule, à moitié couvert d'ajoncs. C'est pour les marcheurs. Il relie le sentier qui vient de la droite à celui de l'autre rive.

C'est là que le pêcheur se tenait l'autre jour.

Et c'est là qu'on va, maintenant.

Mais marche lentement, comme avant, et surveille, comme avant. Il faut être plus prudents que jamais. Car on a beaucoup à perdre si on fait une gaffe.

Avance jusqu'au petit pont, arrête-toi, regarde encore autour. Bon... descends la rive, descends la pente. La rive se perd dans le ruisseau. Mais qu'est-ce que tu vois d'autre ?

Trois choses.

D'abord, l'eau est peu profonde — elle t'arrive aux genoux, max. Deuxièmement, le dessous du pont est en briques. Troisièmement, c'est bien fait et solide.

Mais tu te trompes.

Enlève tes chaussures, tes bas, retrousse ton pantalon. J'aime pas ça, Gros-Yeux. Je sais, c'est peu profond. Je sais, j'ai dit que c'était pas chiant. Mais j'aime toujours pas ça. Et si je glissais et que je me cognais la tête ? Tu peux te noyer dans une baignoire, tu sais. Ça s'est déjà vu. Il faut que je me dise sans arrêt que c'est sans danger.

Courage... On entre dans l'eau. Hou ! Ça gèle comme un baiser glacé.

« Allez, avance. Tu vas t'habituer. Ça fait pas mal. »

C'est ça. Continue de te le dire. Ça fait pas mal, ça peut pas me faire mal. C'est pas assez profond. J'aimerais juste que ça arrête de me chatouiller les jambes.

Concentre-toi. Fais ce que t'as à faire.

C'est ça, Gros-Yeux, regarde devant. Vérifie le dessous du pont. Tu vois la maçonnerie ? Suis-la sur environ un mètre au-dessus de l'eau. Maintenant, vérifie encore les briques. Qu'est-ce que tu vois ?

Rien. Je le sais. Tu vois de jolies briques. Un pont bâti avec savoir-faire.

Alors, regarde bien.

Celle-ci... fais-la bouger. Elle est juste un peu lâche. Tu vois ? Un peu plus, maintenant, sors-la doucement, lentement, lentement. Pas trop fort, sinon on va rogner le bord et ce sera évident que la brique s'enlève. Il m'a fallu un temps fou pour que rien ne paraisse.

Et voilà, elle sort. Qu'est-ce que tu vois à l'intérieur ? Un petit espace vide. C'est parce que j'ai enlevé d'autres briques. Tu as déjà entendu parler d'un guichet automatique, non ? Alors, celui-ci, c'est le mien. Et c'est mieux que n'importe quelle banque.

Plonge la main, tâte, sors le sac de plastique.

Surpris? Je le savais.

Vérifie à l'intérieur. Qu'est-ce que tu vois? Un autre sac de plastique. Et dans celui-là... un autre. Et dans celui-là...

Au moins dix mille livres.

Ça, c'est du travail, Gros-Yeux. Pas mal de travail sur pas mal de temps. Et ça ne vient pas des portefeuilles que j'ai piqués. Je suis champion là-dedans, mais il y a d'autres façons de gagner de l'argent.

Et j'en ai plein. Ce n'est pas ma seule cachette. J'en ai d'autres. J'te dis pas où. Mais je te dis quelque chose: il n'y a pas seulement de l'argent, là.

Continue, tends le bras encore, jusqu'au fond.

Un autre sac de plastique.

Retire-le. Encore des sacs à l'intérieur de sacs. Qu'est-ce que tu trouves pour finir? Allez, dis-moi que t'as pas la cervelle malaxée.

Des diamants.

111

Et pas n'importe lesquels. Regarde-les. Quand est-ce que t'as vu des cailloux comme ça ? T'as probablement jamais vu d'aussi près autant de beauté. Ni autant de richesse.

Ouais, de richesse. On parle de richesse, Gros-Yeux. Le genre de richesse qui pousse des gens au meurtre. Rappelle-toi ce que j'ai dit : ce n'est pas ma seule planque.

OK, je te les ai montrés. Maintenant, on remet tout en place. C'est ça, on remet le sac en place. On ne peut pas le prendre avec nous. C'est trop risqué. Tu ne peux pas transporter ça. Ça reste caché pour une autre fois. Je suis venu ici pour les dix mille livres.

Remets les diamants dans la cache, vérifie encore l'argent. Je ne voulais pas être obligé d'entamer le magot. Je vis bien de ce que je pique. Ça, c'était mes économies pour les cas d'urgence.

Mais bon, c'est une urgence. Je dois faire ce que j'ai à faire, et ensuite décamper. Il faut que j'aille dans un autre endroit que je ne connais pas aussi bien et où je pourrai me planquer discrètement. Et vivre avec quelqu'un. Je ne pourrai pas piquer des portefeuilles en douce chaque fois que j'en aurai envie.

Je frissonne dans l'eau. Je voudrais en sortir, mais il faut que je reste caché sous le pont pendant que je termine. Je compte rapidement l'argent.

Dix mille quatre cent soixante livres.

Combien emporter, c'est la question.

Tout. Prends tout. Il y en a encore tout plein ailleurs. Seulement... j'aime pas tellement en avoir autant sur moi, surtout là où je vais. D'un autre côté, c'est un risque à prendre. On n'aura peut-être pas la chance d'aller voir les autres cachettes. Je devrai peut-être partir en vitesse.

Et je vais avoir besoin de tout l'argent possible.

Prends tout.

Divise l'argent en paquets, place-les dans des poches différentes. Ma main frôle le couteau, se referme sur lui. J'ai un autre frisson. Pas comme le frisson à cause de l'eau. Un autre, différent. Je lâche le couteau, je retire ma main.

— Finissons-en.

Je fourre les sacs vides dans la cachette, je remets la brique en place, je vérifie que tout est beau. Tout paraît normal et soigné. Et maintenant — enfin — je sors de cette eau maudite.

Je remonte sur la rive, trempé. J'ai froid. Je regarde autour. Personne en vue. Tout est calme. Juste la brise qui ébouriffe l'herbe et les arbres en haut de la butte. Je m'arrête sur le sentier, je redescends mes jambes de pantalon, je remets mes chaussettes et mes souliers.

Je regarde encore autour.

Tout est encore calme.

Je me mets en route sur le sentier. Et là, je deviens impatient, Gros-Yeux. Je ne veux pas craquer, mais je deviens tendu. Pas seulement parce que j'aime pas transporter autant d'argent.

C'est à cause du couteau.

Juste à le toucher, tout m'est revenu. Ça ne va pas m'empêcher d'avancer. Te fais pas d'idée. Quand le moment sera venu, tu verras qui je suis. J'ai déjà fait des gaffes. Mais c'est fini.

Seulement, c'est ça maintenant.

C'est la réalité.

J'arrive à l'auto, je regarde si c'est dégagé, je monte, je démarre. Il n'y a pas de place pour tourner ici, ni près du ruisseau. Je mets en marche arrière, je dégage l'embrayage. La vieille bagnole vibre, mais elle commence à bouger. Je me tords le cou à regarder en arrière, mais il n'y a rien d'autre que je peux faire jusqu'à ce qu'on trouve une entrée où faire demi-tour.

Cette barrière. Ici, ça va faire l'affaire.

Je sors de l'allée, je change de vitesse, en avant, autour, et c'est parti. On s'en va en ville.

Et mes pensées s'envolent.

Je devrais réfléchir à mon plan, réfléchir à ce qui se passe autour, mais je ne le fais pas. Je pense au passé. À cause des diamants. J'te dis pas d'où ils viennent. Pas tes oignons.

Mais ils m'ont fait réfléchir.

Ils m'ont fait penser à Becky. Pas celle qui croupit dans un fossé, mais l'autre Becky. Ma chère vieille Becky. Elle n'aurait pas dû mourir. Elle devrait être encore vivante. Pourquoi est-ce que tous ceux que j'aime doivent mourir?

Si elle était restée en vie, elle aurait mon âge.

Penses-y. Quatorze ans. Encore une jeune, comme moi. Mais elle n'a jamais dépassé les onze ans. L'autre Becky ne s'est pas rendue tellement plus loin. Seize ans, comme Trixi. Encore une jeune aussi, d'une certaine façon. Puis Mary.

Pas jeune, c'est sûr.

Mais morte, elle aussi.

Elles meurent toutes, Gros-Yeux. L'une après l'autre, elles s'en vont. Qu'est-ce qui va m'arriver? Est-ce que je vais m'en aller moi aussi? Je mourrai peut-être moi aussi, au bout du compte, sans argent, sans rêves.

Mais je n'ai jamais eu tellement de rêves, de toute façon.

Je devrais en avoir. Tout le monde devrait avoir des rêves. C'est pour ça que j'aime les histoires. Elles sont toutes basées sur des rêves. Rêver d'être un autre, ailleurs. Dans les histoires, tu peux être qui tu veux. Rien qu'un moment, quelques minutes, quelques heures. Tu peux t'évader.

Mais pas maintenant.

C'est pas une histoire. Et sûrement pas un rêve.

Il recommence à pleuvoir. Je suis content. Ça va m'aider. Car il faut que j'arrête de papoter, je dois commencer à surveiller. On est en périphérie, mais je veux rester dans les rues tranquilles. Je sais comment arriver où je veux aller.

Mais on ne sera pas seuls. N'oublie pas ça. Il va y avoir d'autres gens aussi.

Paddy n'est pas bête. Il sait que c'est l'un ou l'autre. Ou bien j'ai décampé, ou bien je suis resté. Et si je suis resté, c'est pour une chose. Il sait laquelle.

Ce qu'il ne sait pas, c'est que mes cheveux sont différents, que mes vêtements sont différents, et que je suis en voiture. Encore à ses trousses.

Il ne le saura pas.

Jusqu'à ce qu'il soit trop tard.

Encore la pluie. J'aime ça. Je lui fais confiance. C'est comme la noirceur. Tu peux faire confiance à la noirceur. Tu peux rester caché.

Continue, regarde bien à gauche et à droite. La circulation augmente à mesure qu'on avance.

Jette un œil au cadran. Trois heures et quart. Est-ce qu'on a mis autant de temps à compter l'argent?

Peu importe. Ce qui compte, c'est ce qui est en train de se passer, et c'est déjà assez dangereux. Ce qui m'inquiète, c'est les flics. J'ai vu trois autos de police en deux minutes. Pas d'histoires, mais il faut rester prudent, et bien conduire.

Encore deux autres autos de police. Bon sang, Gros-Yeux, ils sont nombreux. J'imagine que j'aurais pu le deviner. Trixi est morte, les flocs sont en cavale, moi aussi. Ils ont peut-être trouvé le cadavre de Bex, peut-être même celui de Mary. Pas étonnant qu'ils s'affairent.

Continue, d'une rue à l'autre. Deux flics debout à l'entrée du Royal Oak. Ils se retournent et me regardent passer. Je vérifie dans le rétroviseur: ils n'arrêtent pas de me regarder. J'ai un mauvais *feeling*, Gros-Yeux. J'ai un très mauvais *feeling*.

À gauche, rue Sampson, jusqu'au bout; à droite, au carrefour. Continue, continue. Ça va trop vite. Je ne parle pas de l'auto. On respecte la limite de vitesse, c'est parfait. Je parle du temps. Il va trop vite.

Parce que je ne veux pas arriver. Pas encore. Je ne veux pas être là. Mais les minutes tombent plus vite que la pluie. Continue, encore, d'une rue à l'autre. Je sens ma colère qui monte encore. Elle se mélange à la peur, et je n'aime pas ça. Je connais trop bien ce mélange. C'est comme un cocktail.

Sauf que tu ne veux pas le boire.

Colère et peur, colère et peur. Je les ai connues toute ma vie. Mais une seule à la fois. Ensemble, j'ai des problèmes.

Je suis dangereux.

Je palpe déjà le couteau. Il est dans ma poche, serré contre un paquet de billets de banque. Je le sors, une main sur le volant.

« Remets-le en place. Pas maintenant. »

Mais ça change rien. Je ne le remets pas dans ma poche. Je le déplie. Je tiens le volant de la main gauche, je palpe la lame de la droite. Et je murmure :

« Paddy, Paddy, Paddy... »

Je replie la lame, remets le couteau dans ma poche. Car maintenant, j'ai vu autre chose — l'entrée d'Elmleigh Close.

Où vit la vieille boulue. Tu te rappelles, Gros-Yeux ? La grand-mère de Tammy. S'ils cachent Jaz quelque part, c'est sûrement là. Sauf qu'il faut qu'on soit aux aguets. Faut rien manquer. Car on va pas se contenter de surveiller la maison. On est à l'affût des noufs qui sont à l'affût de nous.

Fais-moi confiance, ils sont là. Je ne peux pas les voir, mais ils sont là. Me demande pas comment je sais.

Continue de rouler, lentement, normalement, stationne au bout, derrière la benne. Surveille l'autre côté du chemin. Tu reconnais la maison ? On l'a vue de la ruelle, la dernière fois. Tout a l'air plutôt tranquille pour l'instant.

Le problème, c'est que je commence à avoir ce *feeling*.

Je sais qu'ils l'ont emmenée ici. Tout me dit qu'ils l'ont emmenée ici. Et qu'il y a des yeux qui me cherchent. Je ne me sens pas encore menacé, et à tout moment, si je sens que ça foire, je pars en trombe. Mais comme je te dis, j'ai le *feeling*.

Que Jaz n'est pas là.

La porte s'ouvre — et c'est ce floc d'hier soir.

Riff.

///

Je ne me trompe pas. Je l'ai vu seulement dans le noir, mais assez bien. Et j'y vois mieux, maintenant.

Un abruti. À peu près vingt ans, une face de limace. Costaud, mais malhabile, paresseux. Ça se voit. Pas dangereux, complètement beignet. Mais pas seul.

Un autre floc sort avec lui. Je devine en le voyant : c'est le frère de Trixi. Comment Bex l'a appelé ?

Dig.

C'est ça. Vingt ans, elle a dit, tout comme Face-de-limace. Vaut mieux ne pas le contrarier, elle disait. Mais j'ai pas besoin de me le faire dire. Je vois ça à son air.

Il est aussi crapule que l'était Trixi, mais différent de Riff. Je ne peux pas croire que je ne l'ai jamais vu. Mais c'est comme ça. Même si je guette tout, je rate des choses.

Ils avancent, lentement, doucement. Ils n'ont pas l'air troublés. Ils ne surveillent sûrement pas les alentours. Mais moi, si. Je les guette et je reste à l'affût des autres.

Je ne les vois pas encore. Mais ils sont là, Gros-Yeux. Je te l'ai dit, ils sont là. Je les sens, ça me serre le cœur. Je reviens aux deux flocs.

Ils se sont arrêtés à côté d'une auto. Ils ne regardent pas autour d'eux. Ils se contentent de monter comme si de rien n'était. Riff occupe le siège du conducteur. Il démarre le moteur.

J'insère le tournevis dans l'allumage — et je m'arrête.

Il est trop tôt pour démarrer. C'est trop dangereux. Les autres yeux qui nous regardent vont faire le lien si mon auto démarre tout de suite après celle de Riff. Ils vont aussitôt me voir.

Je leur donne quelques secondes. Pas plus, car je pourrais les perdre de vue. Ils s'en vont vers la rue principale. Ça me démange de démarrer. Je veux les garder dans mon champ de vision. Je regarde autour. Toujours pas d'yeux qui m'observent.

Mais ils sont là, Gros-Yeux. Je te le dis, ils sont là. Il y a des choses que même moi, je ne peux pas voir. Seulement, maintenant, il faut y aller. On ne peut pas rester plus longtemps, sinon Riff aura disparu.

Fais jouer le tournevis. Le moteur démarre. Regarde encore autour. Rien qui bouge dans la ruelle, à part un enfant en tricycle sur le trottoir.

Vas-y.

Première vitesse, frein manuel, embraie, entre doucement dans la rue. Riff a tourné à droite et a disparu, mais je devrais le voir en arrivant à la rue principale. Je vais jusqu'à la ruelle, puis je l'entends.

Le son d'un autre moteur derrière moi.

Je regarde dans le rétroviseur. Aucun signe de quelqu'un qui démarre. Des autos stationnées des deux côtés de la rue. Je ne vois pas laquelle c'est. Continue de rouler, il faut rouler.

J'arrive à la rue principale. Encore rien dans le rétroviseur. Riff se dirige vers le centre-ville, mais il est coincé dans la voie lente. Je vérifie de nouveau dans le rétroviseur.

Toujours rien.

Mais j'entends un moteur. Je l'entends bien. Je l'entends encore — je crois.

Je regarde devant, je cherche une ouverture dans la circulation. J'en ai une. Je me faufile, je tourne à droite derrière Riff. Il roule plus vite, maintenant, à cinq voitures devant moi, mais je me concentre sur lui. Je vérifie encore en arrière.

Toujours rien.

Mais ils s'en viennent, Gros-Yeux. Je le sais, c'est tout. Ils nous cherchent. Je mets la main dans ma poche, je serre le couteau.

Un bruit de klaxon à droite. J'ai débordé de ma voie. Je lâche le couteau, je reprends vite le volant, je braque vers la gauche. Une camionnette émerge de mon angle mort, un floc roux au volant. Il me jette un long regard, me fait un doigt d'honneur, me dépasse.

Je frissonne encore, Gros-Yeux, comme quand j'étais dans le ruisseau.

Concentre-toi, reste calme, conduis bien.

« Range le couteau. »

C'est ça. Me parler à voix haute.

« Range-le. T'en as pas encore besoin. Le moment viendra. Maintenant, conduis. Et fais bien attention. »

Ça roule plus vite. Je vois encore Riff en avant. Il passe dans la voie de droite, comme s'il voulait tourner au prochain feu.

Je vérifie dans le rétroviseur, je passe dans la même voie.

Seulement deux autos entre nous, et encore aucune derrière. Rien de menaçant, de toute façon. Juste des voitures, des voitures, des voitures. Mais elles sont toutes dangereuses, Gros-Yeux. N'importe laquelle pourrait transporter les flocs qui me cherchent.

Et le floc que je veux moi aussi.

Pas seulement Paddy. Je veux quelque chose de plus précieux, aussi.

Des sirènes !

Merde, Gros-Yeux, pas ça...

Elles sont loin derrière. Je ne vois pas de gyrophares dans le rétroviseur, mais des autos se tassent de côté pour céder le passage. Riff tourne à droite au feu. C'est vert. Ils s'en vont vers les quais. Les sirènes deviennent plus fortes. Je vois clignoter les lumières d'urgence, encore loin derrière.

Des flics. Je le savais. J'imagine qu'ils me cherchent. Je suis sûr que quelqu'un m'a vu. Mais je ne resterai pas ici pour le savoir. Il faut que je suive Riff, de toute façon. Pourquoi les autos ne bougent pas en avant ?

Merde ! L'auto derrière Riff, son moteur a calé. Riff a disparu, et nous, on est coincés ici. Et le feu va bientôt changer.

D'autres sirènes. Au moins deux voitures. J'en vois une et j'entends l'autre. Elles sont coincées aussi, maintenant, elles ne peuvent pas bouger parce qu'un camion leur bloque le chemin, mais elles seront parties dès qu'il se déplacera.

Les autos devant moi se remettent à rouler et tournent à droite, une à une. J'accélère, je dégage l'embrayage, je me glisse, mais le feu passe au rouge. Merde, j'y vais. Je ne peux pas me permettre de perdre Riff, peu importe le risque.

Beuglement de klaxons des autos qui viennent dans l'autre sens. Je suis au milieu de l'autre voie, des gars se penchent à leur fenêtre pour me hurler dessus. Puis, je tourne et je file vers les quais.

Mais Riff a disparu.

Faut réfléchir, Gros-Yeux. Tous ces tournants qu'il a pu prendre. Pourvu qu'il ait continué tout droit. Il va falloir y aller au hasard. La rue serpente un peu, il est peut-être encore juste devant.

Le pied au plancher, j'accélère. Peu importe la limite, maintenant. Il faut prendre le risque. La vieille bagnole grogne. Elle n'aime pas aller aussi vite. Au moins, si je brûle les feux rouges, j'ai une chance de semer les noufs qui me suivaient.

Mais je ne pense pas avoir autant de chance. Et ils ont tous vu dans quelle direction j'allais. Ils savent que je suis quelque part près des quais.

Riff. Il est juste en avant, tu vois? Il prend son temps comme si le monde allait l'attendre. Ou peut-être qu'il m'attend.

Je viens juste de m'en rendre compte.

Est-ce qu'il m'attend?

Il n'a pas l'air d'un floc brillant. Ni son copain. Dur, mais pas brillant. Je ne pense pas qu'ils m'aient flairé. Les sirènes, encore. Dans cette direction-ci.

Riff tourne à gauche pour prendre Riverside Lane.

Je continue tout droit. Il faut être habile. Ne pas leur donner d'indices qu'ils sont suivis. Je peux prendre la prochaine rue au lieu de Riverside Lane, et aboutir au même endroit. Car tous ces chemins mènent au même lieu.

Les quais.

Ouais, je sais. Encore de l'eau, la maudite eau. Profonde, en plus: un gros fleuve, pas un petit filet de ruisseau. Des cargos que l'on décharge et recharge, et qui retournent à la mer. C'est un endroit que j'essaie d'éviter.

Mais je ne peux plus rien y faire.

Je vérifie dans le rétroviseur. Pas de flics en vue, mais pas mal d'autres autos qui me suivent. Je veux regarder en arrière, jeter un coup d'œil aux visages, mais je n'ai pas le temps. Il faut que je tourne.

À gauche sur Maple, puis l'eau, au bout, comme un crachat d'encre. J'ai l'impression de conduire dans un tunnel qui y mène tout droit. Je vois le bord des rues, les entrepôts qui s'élèvent de chaque côté.

Et là, le quai apparaît. Les entrepôts disparaissent. J'arrête l'auto, je regarde autour. La bagnole de Riff est là-bas à gauche, garée juste en face du Dockside Diner. Une gargote tellement crapoteuse, je te le dis!

Ils entrent.

Je les laisse disparaître, je braque vers la droite, je me gare, je sors. La pluie tombe encore. C'est drôle, je l'avais presque oubliée pendant que je conduisais jusqu'ici. Je mets mon capuchon, prêt à entrer — et ce *feeling* revient encore.

Des yeux me surveillent.

Pourquoi je ne les vois pas, Gros-Yeux? Rien ne m'échappe. Je suis rapide, je suis brillant. Mais ça, ça m'échappe. Qu'est-ce qui se passe?

Je baisse la tête, je marche vers le resto, je regarde par la fenêtre. Il est bondé de noufs. Surtout des hommes, mais quelques femmes aussi, et un enfant. Une petite fille, un beau visage, assise avec un vieux, au fond.

Mais pas la fille que je cherche.

Riff est à la table du coin et se roule une cigarette. Dig est en train de commander quelque chose au comptoir. Et maintenant, je vois autre chose.

Ce n'est pas pour ça que je suis venu. Mais c'est peut-être ce qu'il me faut.

Tammy et Sash s'en viennent vers le resto.

·/·/·/

Faut y aller, faut être en avance sur elles.

J'entre. C'est tant mieux qu'il y ait beaucoup de monde. La foule m'avale. Mais je ne peux pas garder mon capuchon. Ça serait suspect. Le changement de vêtements, le chapeau, les cheveux plus courts, avec cette nouvelle couleur — ça aide. Mais il faut que j'utilise aussi tout mon talent.

C'est pas comme piquer des portefeuilles au café Blue Sox. Des noufs ici veulent ma peau. Mais jusqu'à présent, ça va. Je suis cerné par des flocs costauds. Je regarde autour de moi, lentement, soigneusement.

Tammy et Sash sont dans l'entrée. Elles ne vont pas au comptoir. Elles vont filer tout droit à la table de Riff. Me demande pas comment je sais. Dig est là aussi, maintenant, avec un plateau de pâtés et du chocolat.

J'examine la table la plus proche de moi. Personne n'est assis là, elle attend d'être débarrassée : deux grandes tasses de café vides et la moitié d'un petit pain. Je prends le pain et une des tasses. J'observe encore.

Les deux démones sont encore dans l'entrée. Tammy est penchée au-dessus d'une cigarette et essaie d'allumer son briquet. Sash se tient à côté d'elle et balaie la salle du regard.

Elle regarde vers moi, puis revient à Tammy.

Est-ce qu'elle m'a vu, Gros-Yeux ? Je ne pense pas. Elle serait venue tout droit vers moi, ou elle m'aurait dévisagé, ou aurait parlé. Elle n'est pas assez subtile pour faire comme si de rien n'était. Elle ne me regarde plus, elle ne parle pas, ni rien.

Tammy essaie toujours d'allumer sa cigarette. Le floc au comptoir lui dit que c'est interdit de fumer. Elle lui lance un regard furieux, range la cigarette et le briquet, lui jette de nouveau un regard furieux. Je suis à peu près sûr que ça va.

Mais il faut que je prenne le risque, tout de suite.

Je me traîne les pieds jusqu'à la table du coin. Il faut que je sois le plus possible aux aguets. Ils ne peuvent pas me faire de mal ici, mais je suis tout de même cuit s'ils me reconnaissent. Et ça va tout gâcher.

La table à côté de la leur est prise, deux flocs et une femme. Tant mieux. Je ne peux pas m'asseoir trop près. À la table suivante, il y a un floc barbu. Un vieux ridé qui sent fort tient un journal. Je m'assois en face de lui, dos à Riff et à Dig. Poivre-et-sel me regarde, renifle, retourne à son journal.

Je porte le petit pain et la tasse à ma bouche, en faisant semblant de boire et de manger. Derrière moi, les flocs et la femme parlent à la table voisine. Puis, un peu plus loin, la voix de Tammy.

— Donne-nous de l'argent pour un café.

C'est Dig qui répond. Je sais que c'est lui. Quelque chose dans la voix. Trop dangereux pour que ce soit Riff.

— Vous êtes pas censées être ici.

— Il fait froid sur le rafiot.

Le rafiot. Entends-tu ça, Gros-Yeux? Elle a dit le rafiot. Dig, encore:

— Ça m'est égal.

Je déteste cette voix. Elle a quelque chose qui me glace. Grave, lente, comme si elle n'avait pas à crier ni à se presser, parce qu'elle sait qu'on va lui obéir.

— Je vous ai dit d'y rester. Les deux.

— Xen et Kat s'occupent d'elle.

— Elle a besoin de vous quatre.

— Non. C'est pas un problème.

— Elle a besoin de vous quatre.

Je réfléchis vite, Gros-Yeux. Seulement quelques bateaux le long du quai. Deux ou trois pourraient être «des rafiots». Mais d'autres bateaux plus loin, sur le fleuve, sont de vraies épaves. Ils n'ont pas coulé, mais ils ne sont pas sécuritaires.

On les a mis à l'écart pour les laisser pourrir, et personne ne s'est donné la peine de les réparer.

Mais ils servent de gîtos à certaines ordures — celles qui aiment dormir dans une passoire. La question : je cours vérifier tout de suite ou je reste ici au cas où j'en apprendrais un peu plus ? Sash parle.

— On s'en retourne.

— T'es une bonne fille, dit Dig.

— T'es une bonne fille, dit Riff.

Ouais, ouais. T'entends ça, Gros-Yeux ? Qu'est-ce que je te disais ? C'est une lavette, le Riff. « Bonne fille, bonne fille. » Tout ce qu'il trouve à faire, c'est de répéter ce que dit son copain.

— Personne ne t'a demandé ton avis, lui réplique Sash.

Je crois bien qu'elle pense comme moi.

— La ferme, dit Dig.

Elle la ferme. Mais Tammy continue.

— Donne-nous de l'argent pour un café, et on s'en va.

— Je vous en ai déjà donné ce matin. Il est passé où ?

— Y en reste plus. Il fallait acheter du lait, tout ça. Allez, Dig.

— Bon, d'accord.

Des bruits de pièces qui tombent sur la table.

— Mais buvez-le vite et retournez au *Sally Rose*.

Je me raidis.

Le *Sally Rose*.

Ça, c'est un rafiot. Mais j'ai ce qu'il me faut. Tout ce que je veux, c'est que Tammy et Sash mettent le plus de temps possible à boire leur café.

Je garde la tête basse au-dessus du petit pain et de la tasse. Poivre-et-sel me fixe encore. Je lui fais un clin d'œil et il baisse rapidement le regard. Du coin de l'œil, je vois Sash qui marche vers le comptoir. Une chaise racle le plancher derrière moi.

J'imagine que Tammy s'est assise, mais je ne veux pas regarder.

Je dépose le petit pain et la tasse, je me lève lentement, dos à la table. Je fais face à Sash. Elle est debout dans la file du comptoir et si elle regarde vers moi, je pourrais avoir des problèmes.

Tantôt, elle ne m'a pas reconnu, mais ça ne veut rien dire.

Tête baissée, je me glisse devant elle et je sors.

Le capuchon remonté, sous la pluie, je cours devant le resto. Je jette un coup d'œil par la fenêtre. Personne ne me regarde de la table du coin. Dig et Riff sont penchés l'un en face de l'autre et parlent. Tammy s'est retournée pour crier quelque chose à Sash.

Je détale.

Le *Sally Rose*.

Une vieille épave ballottée par les vagues. Je ne sais pas quel genre de cargaison elle transportait à l'époque. Tout ce qu'elle renferme maintenant, c'est les zozos qui se trouvent à gîter là. Ils ne m'ont jamais intéressé.

Mais les choses sont différentes, maintenant.

Je passe devant les grues, le coin animé du quai, je longe les nouveaux entrepôts, jusqu'aux vieux entrepôts désertés. Il n'y a pas grand-chose de vivant ici, Gros-Yeux. Tout ce qui bouge, c'est le fleuve, et on sait tous les deux ce que j'en pense.

Regarde autour de toi. Le dépotoir le plus crapoteux. C'est une maladie, cet endroit. De l'eau à gauche, un terrain vague à droite — pas d'arbres, ni buissons ni haies, juste des herbes maigres et les structures des entrepôts en ruines.

Je ne vois personne me suivre, mais ça pourrait changer à tout moment. Il faut que je reste aux aguets. Je ne peux pas m'arrêter une seconde. Les ennemis sont partout, même si je ne les vois pas.

Je vérifie les bateaux. Les plus présentables sont amarrés sur le fleuve, les plus crasseux contre la rive. Quelques bons bateaux sont proches, mais les autres sont des ordures, des barges et des chalands, surtout, qui pourrissent au bout de leurs câbles.

Et voici le *Sally Rose*.

Je m'arrête, je regarde derrière moi. Encore rien de menaçant. Personne sur le chemin, personne sur l'eau, personne autour des ruines. Je mets la main dans ma poche, je palpe le couteau.

Xen et Kat.

Je peux m'occuper d'elles. Pourvu qu'elles soient seules.

Je serre le couteau et j'ai encore ce frisson. Je n'étais pas comme ça avant, Gros-Yeux. C'était simple, d'habitude. Je sortais la lame et j'y allais.

Mais je ne peux plus arrêter. Il faut que j'en finisse. Ça ira mieux quand j'aurai commencé. Les vieilles habitudes ont la vie dure. Je vais m'obliger à le faire, c'est tout.

Continue de marcher, vite, calmement, surveille bien.

Aucun mouvement nulle part, juste le fleuve qui passe en léchant les quais. J'essaie de ne pas le regarder. Une passerelle mène à l'arrière du bateau. Elle paraît douteuse, mais je n'ai pas le choix.

C'est maintenant.

Je regarde autour. Encore aucun signe de vie. Sur la planche, avance. Elle rebondit, mais ça va. Ne regarde pas l'eau, fixe la planche et continue d'avancer. Un pas, un pas, un pas. Je suis sur le pont.

Je regarde autour. Personne. Il faut que j'y aille doucement, maintenant, très doucement. Écoute bien. Ni voix, ni pas, ni bruit. Une écoutille de l'autre côté, déjà ouverte. Je me glisse jusque-là, j'épie.

Tout est sombre, mais une échelle descend dans le ventre du bateau.

J'y pose le pied, lentement, doucement, je descends, un échelon à la fois, jusqu'en bas. Je suis dans la cale, il fait noir partout autour, mais je commence à y voir plus clair, j'entends des voix.

Juste un murmure, mais c'est assez. C'est les deux autres démones. Elles sont dans une cabine, quelque part à l'avant. Je n'entends pas ce qu'elles disent, mais je reconnais leurs voix.

J'avance lentement. Je ne veux pas les démones. Je veux Jaz, c'est tout. Mais s'il faut que je me batte, je le ferai. Tu sais ce qui me fait peur, maintenant, Gros-Yeux?

Moi.

C'est ça. Je me fais peur. Car je sens la colère qui remonte. Je me sens de nouveau furieux. Tu sais pourquoi? Parce que je vois clair, soudain. Ce n'est pas seulement Paddy qui est mauvais.

Tout va de travers.

C'est pour ça que je me fais de la bile. Tout va de travers.

Descendre Bex, c'était mal. Enlever Jaz, c'était mal. Tout ce qui m'est arrivé depuis ma naissance — tout ça était mauvais. Tout ça est encore mauvais.

Une partie de moi veut que Xen et Kat sortent de la cabine. Je serre le couteau et je veux qu'elles sortent. Je veux qu'elles me trouvent.

Car elles sont mauvaises, elles aussi. T'entends ça, Gros-Yeux? Elles sont mauvaises, elles aussi. Et si je ne peux pas avoir Paddy et tous les autres, je les aurai, elles.

Je suis à l'avant du rafiot maintenant, devant des portes fermées. Celle à droite est bordée d'un trait de lumière. J'entends les démones qui parlent à l'intérieur. Mais droit devant, il y a une autre porte.

Pas de lumière autour — juste un verrou à l'extérieur.

Tiré.

Les voix murmurent encore dans l'autre cabine. Puis, soudain, elles s'arrêtent. Mais je m'en fiche. Il est trop tard, maintenant. Et comme je t'ai dit, je voudrais presque qu'elles me trouvent. Je pousse le loquet et j'ouvre la porte, haletant.

Elle est étendue dans le noir, ligotée, bâillonnée. Le visage meurtri, elle me regarde. Mais ce n'est pas Jaz. Je murmure :

— Bex.

·111

Et là, tout va vite.

L'autre porte s'ouvre d'un coup. Xen et Kat en bondissent, chacune brandissant un couteau. Des pas lourds sur le pont au-dessus, un hurlement de sirènes plus loin sur le quai. Je me retourne vers les démones. Elles ne s'approchent pas, chacune attend probablement que l'autre fasse un geste.

— On t'a reconnu, dit Kat. Même si t'as changé de *look*.

Je ne réponds pas. Je les regarde attentivement, mais j'entends Bex derrière moi. Elle a rampé jusqu'à la porte. Je tends le couteau derrière moi et je coupe les cordes à ses poignets.

— Défais le reste, je lui dis.

Et je continue de fixer les démones.

Je ne peux pas m'en détacher une seconde. On entend d'autres pas là-haut. Ils ne sont pas encore descendus. Ils ne savent peut-être pas que je suis ici. Xen hurle.

— Il est ici, en bas!

Des voix au-dessus, des bruits de course.

Je sens Bex qui me pince le bras. Je regarde derrière. Elle s'est détachée et a défait son bâillon, et elle est tapie là, derrière moi. Son visage est dans un sale état. Rien de cassé, mais ils l'ont vraiment arrangé. Je lui marmonne:

— Je te pensais morte.

— C'est le gars qui a tué Trixi, c'est lui qui m'a assommée.

— Je l'ai entendu dire qu'il t'avait tuée.

— C'est probablement ce qu'il a cru. Il m'a frappée assez fort. Mais je suis revenue à moi. Il est parti, et Riff est resté là avec Jaz. Ensuite, Dig est arrivé. Tu devines le reste.

Alors, Paddy se vantait devant ses copains. De tout ça : l'avoir tuée et s'être débarrassé du corps. Mais elle n'est pas mieux que morte.

— Qui t'a fait ça au visage ?

— Les filles.

— Reste derrière moi.

Des ombres dans la cale. Dig, Tammy, Sash, Riff. Ils ont tous des couteaux, sauf Riff. Mais ils ne sont pas pressés. Ils se dispersent.

— Il a encore le couteau de Trixi, dit Xen. Tu vois ?

Elle crie à Dig :

— Attention. Il sait comment le lancer.

— Et alors ? dit Dig.

Et il lance son propre couteau, pas dans ma direction, mais il vise une caisse, pas loin. La lame fait un bruit sourd en pénétrant dans le bois, et le manche vibre dans l'ombre. Il le regarde pendant un moment, puis tire un autre couteau, plus gros.

— *Blade*, murmure-t-il de cette voix lente. Un gars nous a dit ton nom. Il espérait que tu te pointes encore.

Il regarde longuement son couteau.

— Pour qu'on puisse venger Trixi.

— C'est pas moi qui l'ai tuée, je dis. Le gars qui t'a parlé...

— Il nous a tout dit, dit Dig. Un beau monsieur poli, très courtois. Mais tu ne voudrais pas te le mettre à dos, j'imagine. Ni ses copains. Il est venu et nous a trouvés chez la mémé de Tammy. Il a dit avoir vu Trix et les filles, là, une fois déjà, alors qu'il te cherchait.

— C'est un menteur.

— Il a dit qu'il t'a vu la tuer. Et que ce n'était pas la première fois que tu tuais quelqu'un. Il a dit que lui et ses copains te cherchent depuis des années, et que le moment de la vengeance est arrivé. Alors, on est tous partis à ta recherche. On a fait passer le mot par des amis aussi. On est restés en contact par portables. Riff t'a vu dans l'allée et nous a appelés. Le reste a été facile. En tout cas, c'était censé l'être. On a fait notre part. Ils ont foiré, de leur côté. Mais t'es là, de toute façon.

— J'ai pas tué Trixi. C'est Paddy qui l'a tuée. Le gars à qui tu as parlé. Bex était là. Demande-lui.

— Ouais, comme si on allait croire un mot de ce qu'elle dit.

Dig lui jette un œil mauvais.

— Elle n'a jamais rien dit de vrai de toute sa vie. C'est pour ça que je ne veux plus entendre parler d'elle.

Je regarde Bex. Elle me fixe de son regard hanté. Tout à coup, elle fait un signe de la tête.

— C'est vrai. Lui et moi, on était...

Elle se tait. Je regarde Dig de nouveau.

— Ouais. On l'était. Mais c'est fini.

Alors, c'est comme ça que Bex est entrée dans la bande. Pas parce que c'était une dure. Je le savais, de toute façon. C'est parce qu'elle était la copine de Dig.

J'ai la tête qui tourne. Il faut que je l'arrête, il faut que je garde mes esprits, que je me rappelle pourquoi je suis venu. Je regarde Dig dans les yeux.

— Où est Jaz?

Il soulève un sourcil.

— Jaz ?

— Elle est où ?

— Tu veux Jaz, hein ?

Il regarde les autres en ricanant.

— Il veut Jaz.

Ils ricanent aussi. Il se retourne, m'étudie avec un regard mauvais.

— Je ne pense pas que Jaz veuille te voir. On ne dirait pas. Tu t'es vu, dernièrement ?

— Elle est où ?

— Elle ne voudra rien savoir de toi.

Il baisse la voix.

— Parce que t'as une gueule à faire peur, mon gars. T'es tellement en colère que tu craches le feu. T'as une rage en tête comme j'en ai jamais vu. Ça ne me fait pas peur. Mais ça va lui faire peur à elle.

Je tremble, Gros-Yeux. Parce que je sais qu'il a raison. Je suis fou de rage, plus que jamais. Mais je peux encore y arriver. Je peux me calmer pour Jaz. Et elle va me faire confiance. Elle est comme ça. Elle fait confiance. Elle sait que c'est moi.

Je dois l'emmener. Bex aussi. Dig n'est pas un bon père pour elle. Elle a besoin de sa mère. Et elle a besoin de moi. Coûte que coûte, il faut que je l'emmène.

— Laisse-moi la voir.

Dig me fait un sourire narquois, puis un signe de tête vers une porte de l'autre côté de la cale.

— Vas-y. Mais je t'aurai averti.

Je les regarde tous. Ils me surveillent de près, il surveillent le couteau dans ma main. Malgré leur nombre et la bravade de Dig, ils ont peur de ce que je peux faire. Je fixe la porte du fond.

— Reculez, je dis.

Je vois des yeux clignoter en direction de Dig. Il fait oui de la tête. Ils reculent, me regardent toujours. Je tends la main derrière moi, je cherche celle de Bex. Elle prend la mienne, la serre.

Je la conduis de l'autre côté de la cale. Personne ne bouge ni ne parle. Tout est silencieux, à part le craquement de la coque et le martèlement de la pluie sur le pont, là-haut.

J'arrive à la porte, je lâche la main de Bex, je regarde tous les autres. Ils sont encore là, debout, à regarder. Je reviens à la porte. Pas de contour de lumière, mais pas de verrou non plus. Si elle est là-dedans, elle n'est pas prisonnière. Elle est peut-être ligotée.

J'ouvre la porte.

Elle est là, assise sur une petite boîte, face à la porte. Elle tient un crayon d'une main et, de l'autre, un cahier à dessiner qu'elle serre sur son cœur. Elle regarde devant elle, les yeux agrandis. Ils s'arrêtent sur moi, me reconnaissent. Je souris, je murmure.

— Jaz, c'est moi, mon chou.

Elle ouvre la bouche et hurle.

Ça me paralyse. Je n'ai jamais entendu un son semblable, ni venant d'elle, ni de personne d'autre. Parce que je n'ai jamais entendu s'exprimer une peur pareille. Et je ne peux pas le supporter. Je sais de quoi parle Dig. C'est la peur de ma colère, la peur de mon visage, la peur de moi.

— Jaz, ça va. C'est moi. C'est...

Elle hurle encore plus fort.

— Jaz, je ne vais pas te faire de mal.

Encore des cris. Elle détourne le visage, se tortille, comme si elle voulait m'effacer. Je me penche, je touche son bras.

Elle s'éloigne d'une secousse, comme si je l'avais ébouillantée.

— Jaz, écoute.

Je murmure, Je chuchote, je m'acharne à l'atteindre, à franchir sa terreur.

— Jaz, je suis venu prendre soin de toi. J'ai de l'argent et une auto pour qu'on se sauve. Toi, moi et Bex. Tout va très bien aller.

Je dis des extravagances, je lui promets mer et monde. C'était le plan : l'argent, l'auto, l'évasion. C'est fini maintenant, puisque Dig et les autres sont là, mais je continue de parler, pourtant, j'essaie de la faire sourire.

— Jaz, Jaz...

Elle n'arrête pas de hurler, puis se traîne sur les coudes jusqu'au fond de la cabine, les mains sur les oreilles, en détournant son visage pour ne pas me voir. Bex me tire vers l'arrière en poussant la porte. De l'intérieur de la cabine, les cris continuent.

Les autres se rapprochent encore.

— Alors, c'est ici que tout finit, dit Dig. Heureusement, je n'ai pas à me salir les mains. D'autres vont le faire pour nous.

Il tourne la tête vers Riff, qui parle discrètement dans un portable.

Je suis encore chancelant. Mon cerveau ne fonctionne plus. Tout ce qui me vient à l'esprit, ce sont les cris de Jaz, son visage, sa terreur complète — vis-à-vis de moi. Je ne supporte pas ça, Gros-Yeux. Elle est terrifiée par moi. Jaz, non, pas Jaz. Soudain, c'est comme si rien d'autre n'avait d'importance.

Mais ce n'est pas vrai. Il reste Bex. Elle compte encore, même si moi, je ne compte plus.

— Laissez partir Bex. Faites de moi ce que vous voulez. Mais laissez partir Bex. Et laissez-la emmener sa fille.

— Je le ferais bien, dit Dig avant de faire une pause. Si elle en avait une.

Silence. Un silence profond et effrayant. La pluie s'est arrêtée. Les cris aussi. Je m'efforce de parler.

— Tu veux dire que... ?

— Demande à Bex.

Je me retourne vers elle pour voir de nouveau ce visage tourmenté.

— Dis-moi la vérité.

Elle marmonne :

— C'est une enfant que j'aime.

— Dis-moi la vérité.

— On était proches. On l'est encore. On s'est liées parce que je m'occupais d'elle chez la grand-mère de Tammy. On est vraiment proches. Elle me fait plus confiance qu'à personne d'autre au monde. Elle n'a pas de père. Demande à Dig. Le gars s'est sauvé. Une rencontre d'un soir, et il est parti.

— Tu ne m'as pas dit ce que j'ai besoin de savoir.

Un autre silence. Mon cri résonne dans la cale sombre.

— Qui est la mère de Jaz ?

Elle baisse la tête et murmure.

— Trixi.

111

Dig s'avance. Il est entouré des démones. Elles sont toutes comme des ombres, maintenant. Je ne leur vois même pas les yeux. Mais je ne regarde peut-être pas. D'une certaine façon, je m'en fiche. Ça ne sert à rien, rien ne sert à rien.

Jaz ne veut pas de moi. Et Bex est une ordure.

Les ombres s'arrêtent. Dig continue d'avancer vers moi.

Je vois le grand couteau commencer à bouger. Il taille l'espace de plus en plus vite. Mes pensées s'éparpillent autour, me piquent l'esprit de petits cris et m'ordonnent: «Penche-toi: esquive, évite, fais quelque chose. Tu as le temps.»

Je sais qu'elles ont raison. Je suis déjà passé par là. Mais je ne bouge pas. Je me contente de regarder, avec mon propre couteau mort dans la main.

Je sens une douleur cuisante lorsque la lame me touche le front. J'ai les yeux en sang et je tombe. J'entends des cris, d'abord ceux de Becky, puis ceux de Jaz derrière la porte. Ensuite, je crie aussi.

J'entends les démones commencer à hurler, je les sens se rassembler. Puis, les coups arrivent avec un bruit mat. Je me roule en boule. Une main me tire les cheveux, me soulève la tête d'un coup.

À travers le sang, je fixe le visage de Dig. Je tiens toujours le couteau de Trixi. Je veux le lui planter dans le corps, mais je suis paralysé, et il le sait.

Il sourit, me redresse d'une secousse et me pousse dans le noir. Les démones, encore en troupeau autour de moi, me donnent des coups de poing, des coups de pied, des coups de griffes, mais je ne les remarque pas, maintenant, je ne remarque rien, seulement l'échelle devant mes yeux.

Et je me redresse tant bien que mal, le couteau de Dig me pousse doucement. Je sors sur le pont et la pluie crachote encore, et je regarde autour en essayant de réfléchir. Mais j'ai l'esprit décousu et je tâtonne dans le brouillard.

Dig est sur le pont avec les démones, ils se rapprochent à nouveau de moi, me donnent des coups de pied et me poussent vers la passerelle. J'avance en trébuchant et, arrivé au chemin, je me mets à tituber.

Ils ne me suivent pas. Ils sont encore sur le *Sally Rose* et se moquent de moi. Bizarrement, j'entends à nouveau les cris de Jaz. Ils sont peut-être dans ma tête. Je ne sais pas. Tout ce que je sais, c'est qu'elle ne veut pas me voir.

Je me retourne et chancelle sur la rive. Le sang coule dans mes yeux et ma tête bat comme un tambour. Je sais que je suis gravement blessé. Je vois les flics plus loin qui surveillent les quais. Mais c'est le moindre de mes soucis.

Deux flocs sortent de la barge la plus proche. Je les reconnais. Lenny et le grom. De toute évidence, ils se sont cachés des flics pendant qu'ils attendaient ma sortie.

Je regarde autour.

Un troisième floc arrive par-derrière, un quatrième à sa gauche couvre le terrain vague, un cinquième sort d'un chaland, plus loin.

Aucun signe de Paddy.

Mais quelle importance, maintenant, Gros-Yeux? Tout est fini, de toute façon. Je ne pourrai jamais tuer Paddy, ils vont m'achever avant. Car je suis fini, tu comprends ? Je suis vachement, totalement fini. Je peux encore courir un peu, mais où ? Pour aller où ? Je peux faire une centaine de mètres, peut-être deux cents.

Même si je voulais me livrer aux flics, je ne pourrais pas les atteindre. Ils sont trop loin, ils ne m'ont pas vu, et je n'ai plus de voix pour crier.

Il me reste un choix, juste un. Ce vieil entrepôt délabré. Je ne l'atteindrai probablement pas avant qu'ils me rattrapent, et même si j'y arrivais, je ne pourrais me cacher nulle part. Mais qu'est-ce que je peux faire d'autre ?

Courir, courir.

Mais ce n'est pas une course. C'est une embardée. J'ai mal à la tête et le sang dégouline sur mon visage. J'ai encore le couteau, mais il paraît inutile, aussi inutile et épuisé que moi.

Regarde derrière.

Ils viennent me cueillir, les cinq. Sans se presser. Pourquoi se presseraient-ils? Ils savent que je n'irai pas loin. Je me traîne jusqu'à l'entrée broussailleuse de l'entrepôt.

Comme je te l'ai dit, je ne peux me cacher nulle part. Si seulement j'arrive à traverser la bâtisse et à ressortir par la fenêtre du fond avant qu'ils me voient, ils penseront peut-être que je me suis réfugié dans un des vieux bureaux.

Je me débats pas mal et le sang m'empêche de bien voir. J'ai maintenant traversé la moitié de l'entrepôt, et je n'ai encore vu y entrer aucun floc. Quelques mètres de plus et...

La fenêtre.

Fracassée depuis longtemps, heureusement, et au-delà, le terrain vague. Je regarde autour. Les flocs ne sont pas encore ici, mais ils ne sont sûrement pas loin.

Je me glisse par la fenêtre, lentement, lourdement. Je bouge comme un poids mort et je m'écorche les jambes sur les pointes de verre qui hérissent le cadre. Puis je me retrouve à l'extérieur.

Sauf que je ne peux plus bouger. Je suis affalé contre le mur, je perds du sang, et je n'arrive pas à me lever.

J'entends des bruits de l'autre côté du mur, des pas dans l'entrepôt. Difficile de savoir combien ils sont. Je m'en contreflouche, de toute façon. Je n'y peux plus rien. Je ne vais pas y arriver, même s'ils ne me trouvent pas.

Mais ils m'ont trouvé.

Une silhouette vient dans ma direction.

Facile à reconnaître. Mon vieil ami le grom. Il a fait le tour de la bâtisse, par l'extérieur, et il s'avance vers moi à pas indolents, bien à son aise, bien lentement.

Ouais, c'est vrai. Pas besoin de te presser, maintenant, mon gros. Tant mieux, parce que t'es pas tellement en forme, non? T'es tout seul et je peux lire dans tes pensées. Même avec le tambour qui cogne dans ma tête, je décode ta petite cervelle.

Tu te dis: «Pas besoin d'appeler les autres. Je vais l'arranger tout seul, le jeune.»

Il est proche, maintenant, et tu sais quoi, Gros-Yeux? Je serre le couteau et je me pose des questions. Il s'est éloigné du mur pour contourner les orties et maintenant, il marche vers moi.

Tout droit.

Je ne pourrais pas le manquer, même si je le voulais. C'est la cible la plus grosse et la plus grasse du monde. J'en ai encore la force, tout juste. Suffit que je lance le couteau, et il tombe. Facile, très facile.

Est-ce qu'il sait qu'il est en danger à ce point-là ?

Non, de toute évidence, parce qu'il s'en vient tout droit sur moi. Je serre le manche, je touche la lame, Je donne un élan à mon bras. Il s'arrête. Il est à quelques mètres seulement, mais s'il bouge, il est mort. Et il le sait.

Je lui crie :

— Où est Paddy, mon gros ?

Je ne m'attends pas à recevoir une réponse. Mais il m'en donne une quand même, de sa grosse voix de grom.

— En train d'aider la police à mener son enquête.

Bon sang, Gros-Yeux. Ils l'ont eu, après tout. J'aurais jamais cru. Au moins, mon appel aux flics aura servi à quelque chose. Je voudrais tout de même l'avoir tué. Le grom renifle.

— Mais ça ne va pas tellement t'aider.

Il a raison. Des silhouettes apparaissent des deux côtés. Les autres flocs. Ils marchent lentement, le regard fixe. Je tiens encore le couteau.

— Vas-y, gamin, dit Lenny. Lance-le.

Je veux, Gros-Yeux. Je veux tellement le lancer. Mais je ne peux pas. Je saigne à flots et je pleure. Je pleure pour Jaz, pour moi, pour tout ce qui n'arrivera jamais.

Je les vois s'avancer, mais tout est embrouillé. Je ne sais plus ce qui se passe. Je sens qu'on m'arrache le couteau, je les sens me fouiller les poches, en retirer l'argent, blaguer, rire.

Puis, le coup. Il ébranle la lumière, me noie la tête. En glissant dans la noirceur, je vois Lenny se pencher vers moi. Soudain, un craquement — un bruit sec et lourd que j'ai déjà entendu.

Mais je ne réfléchis pas, Gros-Yeux, je ne vais pas bien. Tout est brouillé, tout est fou. Un autre craquement. Cette fois, je reconnais ce bruit.

Un coup de feu.

Est-ce qu'on a tiré sur moi ? Je ne sais pas, Gros-Yeux. Parce que rien n'a de sens, maintenant. Je ne sens plus mon corps. Je vais à la dérive comme un souffle à travers l'espace sombre. Je ne sais pas qui je suis, où je suis, ce que je suis. Mais j'entends une voix — faible, distante.

— Blade.

Je la reconnais tout de suite.

Mary.

tim bowler

ÉVADÉ

Car je suis en train de m'en aller.
C'est bon. C'est tellement bon. C'est comme
quand je me replie sous une couverture
dans un gîtos, et que je sais que
les propriétaires ne reviendront pas bientôt,
et que c'est chez moi, ma petite maison,
pour encore quelques heures, et que je peux
me reposer, oublier, ne pas être moi.
Ne pas être Blade.

Je veux tellement dormir, Gros-Yeux. Je veux oublier, juste un moment. Mais je ne peux pas. Je ne peux ni dormir, ni oublier. Et tu sais quoi? Des fois, même quand je dors, je n'oublie pas. Les images me viennent en rêve. Les visages, les choses que j'ai faites.

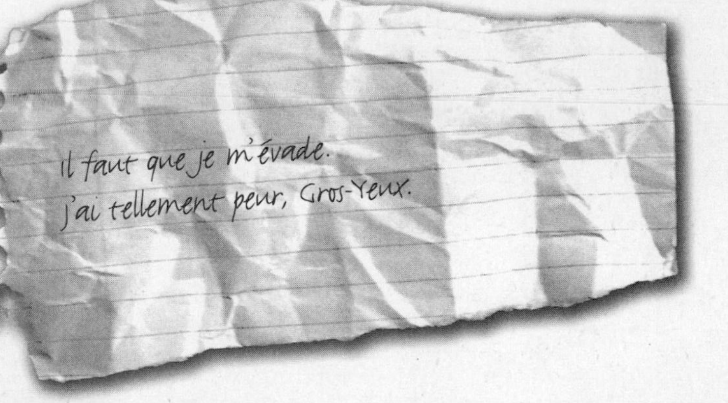

Il faut que je m'évade.
J'ai tellement peur, Gros-Yeux.

L'AUTEUR

Tim Bowler écrit depuis l'âge de cinq ans. Enfant, il écrivait des nouvelles et des bandes dessinées, plus tard, de la poésie. Il a commencé son premier roman à vingt-cinq ans et l'a écrit en majeure partie aux petites heures du matin, entre 3 h et 7 h, avant d'aller travailler. Il a exercé divers métiers avant de devenir écrivain à temps plein. Il vit aujourd'hui dans un petit village du Devon et travaille dans une vieille remise en pierre que ses amis appellent « le terrier de Tim ». Il a reçu de nombreux prix, dont la prestigieuse médaille Carnegie pour *Le garçon de la rivière.*

BLADE

tim bowler
BLADE
EMBUSQUÉ

tim bowler
BLADE
CERNÉ

tim bowler
BLADE
ÉVADÉ

tim bowler
BLADE
EFFRAYÉ

Marquis imprimeur inc.

Québec, Canada
2011